MENIG GWYNION

Gwlad y Menig Gwynion

Geraint Jones

Argraffiad cyntaf: Gorffennaf 1996
Ⓗ Geraint Jones

Ni chaniateir defnyddio unrhyw ran/rannau
o'r llyfr hwn mewn unrhyw fodd
(ac eithrio i ddiben adolygu)
heb ganiatâd perchennog yr hawlfraint yn gyntaf.

Rhif Llyfr Safonol Rhyngwladol:
0-86381-381-X

Clawr: smala

Argraffwyd a chyhoeddwyd gan Wasg Carreg Gwalch,
Iard yr Orsaf, Llanrwst LL26 0EH
☎ (01492) 642031

Cyflwynedig
i'm cyd-athrawon
yn Ysgol Trefor:
RHIAN HARRIS a SIANELEN PLEMING
gan ddiolch iddynt am eu sirioldeb
a'u sinigaeth a'u sefydlogrwydd.

Gorsedd Beirdd Ynys Prydain, Lerpwl 1884

'Sef y kyrchyssant y dref uchaf o Arllechwoed, ac yno gwneuthur creu y'r moch, ac o'r achaws hwnnw y dodet Creuwyron ar y dref.'

Llyfr Gwyn Rhydderch:
Pedwaredd Gainc y Mabinogi
(i gydymffurfio â chwiw ddiflas Fabinogaidd
ddiweddar ein sgrifenwyr Cymraeg)

'Nid oes cytundeb ymhlith ysgolheigion pa bryd y mabwysiadwyd y Ddraig Goch yn arwyddnod cenedlaethol . . . rhaid i mi gyfaddef yn ddistaw bach fy mod i'n credu weithiau mai addasach symbol fyddai Asyn.'

Bobi Jones: Crist a Chenedlaetholdeb (1994)

'Asinus asinum fricat.'

Llawlyfr y 'Welsh T.V. Channel
Mutual Admiration Society, 1995.'

'Freemasonry is a peculiar system of Morality, veiled in Allegory, and illustrated by Symbols.'

William Preston: Illustrations of Freemasonry (1882)

'Dywedir mai'r cyffur gorau — yr unig gyffur, yn wir — i weithio ymaith gamsyniadau'r claf, oni bydd yng ngraddau olaf ei glefyd, yw gwawd.'

Emrys ap Iwan: *Y Faner* (27 Rhagfyr, 1876)

Ai dychmygol, tybed, yw holl gymeriadau'r nofel hon?

Achau Jabulon Jones,

Bwlch Mawr,
Plwyf Llaneilfyw,
Arfon

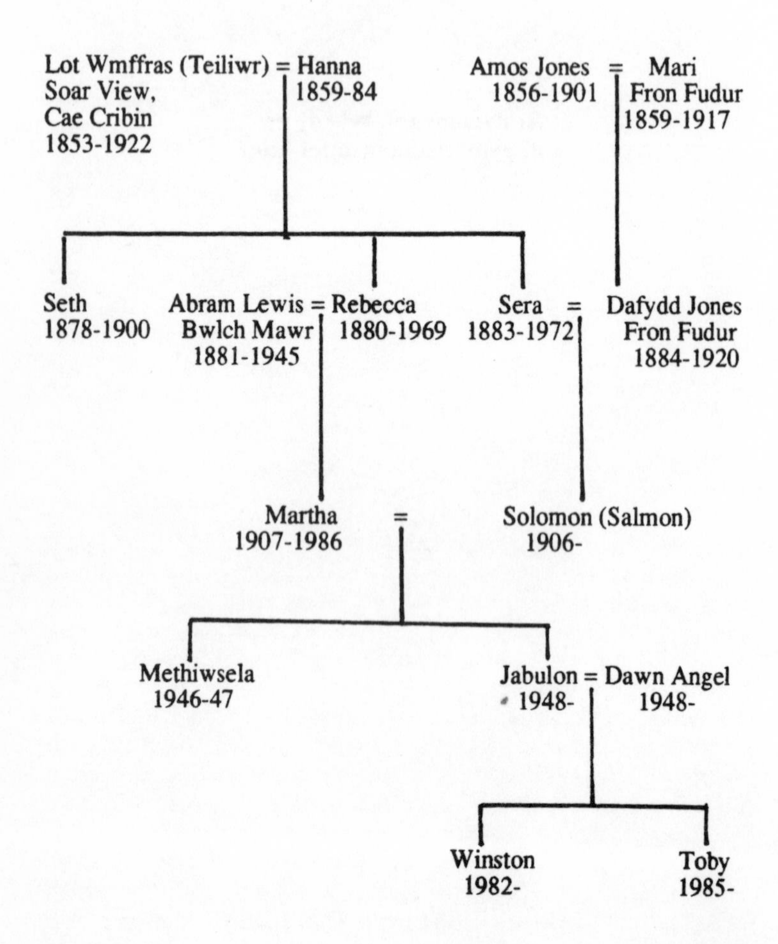

1

Wedi chwydiad nerfus yn un o geudai cyhoeddus y dref, brasgamodd Jabulon Jones Ll.B. yn weddol hyderus i fyny'r allt gan 'nelu'i flaentroed am yr adeilad cerrig, mawr, bygythiol a fwriai'i gysgod ar y ddwy neu dair rhes unffurf o dai bychain a'i amgylchynai, tai pobl gyffredin tref hynafol a Chymreig Creuwyrion.

Yn nüwch noson ddiflas o law mân dechrau Rhagfyr gwelodd, drwy holltau yn llenni di-chwaeth y teios hyn, bobl ddibwys, undonog a di-fudd eu bucheddau, yn pwnio'u tanau, yn yfed paned ar ôl paned, ac yn rhythu'n ddiymateb ar y sgrînau cyflyru yng nghorneli eu ceginau diaddurn. Roedd enwau eu tai mor ddiddychymyg ag enwau eu plant. Hy! Dyma'r '*werin gyffredin ffraeth*', y werin a glodforwyd ac a faldodwyd gymaint gan feirdd a chantorion, ac yn arbennig gwleidyddion, gan roi iddi ogoniant anhaeddiannol a digon amheus. Yn nwfn ei galon, er na oddefid iddo ddweud, na hyd yn oed awgrymu hynny'n gyhoeddus, dirmygai Jabulon Jones Ll.B. agwedd blwyfol, ynysig y boblach hyn, a'u philistiaeth gul anniwylliedig, gan ei ystyried ei hun yn ffodus ei fod yn ŵr ifanc blaengar, deallus a thalentog, yn ŵr â nod mor bendant i'w fywyd, ac uwchlaw popeth, yn ddysgedig, ac yn berchen gradd prifysgol.

Cuddiasai ei gar ym mhen pellaf y maes parcio ynghanol y dref rhag i neb o'i gydnabod ei weld ac amau ble'r oedd. Gwell gwlychu rhyw gymaint na gorfod ateb cwestiynau busneslyd. Heno roedd ar berwyl hollbwysig a chyfrinachol; perwyl, fe dybiai, a oedd i weddnewid rhigolau undonog ei fywyd di-nod a llywio'r bywyd hwnnw i ddisgleiriach a bywiocach dyfodol.

Salmon, ei dad, a Dawn Angel, ei wraig, oedd yr unig rai o'i gydnabod a wyddai ble'r oedd o heno. Ddwedodd o ddim gair wrth Dafydd a Phaul, cyfeillion oes. Fyddai wiw iddo, gan ei fod am barhau â'u cyfeillgarwch, hyd braich felly, er yn ffieiddio'u twpdra a'u diffyg menter a'u gorwelion culion. Roedd yn gwbl ymwybodol o'r gagendor ysbrydol a diwylliannol cynyddol a bwysai'n drwm bellach ar eu perthynas â'i gilydd. Ond gyda'i ddoethineb gofalus arferol, mynnodd gadw cysylltiad, er i'r cysylltiad sigledig hwnnw gael ei gyfyngu mwyach i ambell seiat achlysurol uwch llymaid neu ddau yn nhafarn yr *Emperor's Sun*, ym mhentref mynyddig Llaneilfyw, yn trafod merched, jôcs budron, rhaglenni teledu, y lot'ri a'r tywydd.

Teimlai Jabulon Jones Ll.B. yn bwysig, yn haerllug o bwysig. Teimlai fel y sant yn rhydio'r afon. Cariai bwysau'r byd ar ei war. Toc, cyrhaeddodd ddrws derw cadarn yr adeilad tywyll.

Safodd ennyd i gael ei wynt ato. Sadiodd ei goesau. Gwrandawodd ar guriad cyflym a drymiog ei galon. Ni ddylasai deimlo'n nerfus oherwydd gwyddai'n dda fod croeso, o fath, yn ei aros, a bod byd newydd proffidiol yn ymagor o'i flaen. Cylch newydd o ffrindiau gwerth eu hadnabod, mewn amrywiol feysydd.

Ceisiodd ei argyhoeddi ei hun nad oedd y rhain, fynychwyr brith y deml sanctaidd, gydag ambell eithriad efallai, ond llathen o'r un brethyn â phobl y tai llwydion cyfagos yn y bôn, yn dair ceiniog y bwndel, os hynny. Mae'n wir fod eu pyrsiau'n drymach — ac roedd hynny'n bwysig yng ngolwg Jabulon — a bod llwch aur cownteri siopau a swyddfeydd y dref yn peri peth anhrefn ar ysgyfaint rhai ohonynt, ond o ran crebwyll a diwylliant, ymestynnai cyfandir cyfan rhyngddynt, fe dybiai.

Onid efô, Jabulon Jones Ll.B. fyddai'r Rasmws meddyliol a diwylliannol yn eu plith? Pam oedi rhagor, fel hwch mewn haidd? Dyfalbarhad, a rhyw lun ar ostyngeiddrwydd oedd piau hi. Byddai ganddo, cyn clwydo heno, forthwylion a holltai pob carreg, a chwalai'n siwrwd pob penglog a fynnai fod yn graig rhwystr i'w gynlluniau uchelgeisiol ef.

Ciliodd peth o'i bryder, a safodd yn ddisgwylgar wrth borth y deml.

2

Ar un o glustogau esmwyth y Deml fawr eisteddai Salmon Jones yn c'noni ers meitin. Fedrai o yn ei fyw â sodro'i feddwl ar druth rhethregol diflas y Meistr Anrhydeddus, Robert Daniel, prifdwrnai Creuwyrion a Chyfreithiwr Mygedol Cyngor Eisteddfod Frenhinol Cymru a Gorsedd Beirdd Ynys Prydain. Soniai hwnnw mor rhodresgar, fel y gwnaeth ganwaith o'r blaen, am urddas ac ardderchogrwydd Cyfrinfa Eryri — y '*Snowdonia Lodge of the Ancient Fraternity of Free and Accepted Masons under the United Grand Lodge of England*', a'r hyn a'i gwnâi hi'n gysegredig, ac yn wir yn anhepgorol, yng ngolwg y Pensaer Mawr a'i weision elusengar ufudd.

Myfyriodd Salmon, ei goegni wedi hen dyfu dros y blynyddoedd. *Gall y cwdyn fwydro faint fyd a fynno am Hiram Abiff a'r Solomon arall hwnnw, enwog ei ddoethineb Iddewig, a gododd deml i'w Dduw ers talwm. Mae'r cyfan, waeth cyfaddef, yn gwbl amherthnasol i'n Cymru ni. A ph'un bynnag, waeth pa mor argyhoeddiadol ydi ei ymresymiad, fe ŵyr yr uffar bach cystal â minnau nad dyna wir bwrpas y loj.*

'Ni ellir diffinio nac egluro cyfrinachau Maswniaeth . . . ni ellir cyrchu'r nod ond yn unig gan y rhai hynny a ddônt o'u gwirfodd, gan daer-ymofyn mewn gwyleidd-dra . . . y gostyngeiddrwydd hwn yw'r cwlwm gwynfydol a'n huna ni oll . . . mae ceisio egluro llawenydd cyfriniol ein Cymdeithas i'r dienwaededig yn union fel ceisio darlunio llawenydd a gwewyr esgor i hen ferch. Ein llawenydd ni sydd megis mamolaeth — rhaid yn wir ei brofi cyn y gellir ei ddeall.'

Go brin fod neb call yn credu'r fath gybolfa. Ac o 'nabod Daniel Dwrna, y pwysigyn trwynsur uffar, alla' i mo'i alw fo, o bawb, yn bictiwr o lawenydd y Mesn. Pam ddiawl na ddyry'r bwbach yr arwydd? Tyn dy lodra' atat, Worshipful Master!

'Aberthodd Hiram Abiff ei einioes i warchod cyfrinachau'r Deml. O ailddarganfod y cyfryw ddirgelion, fe ddyrchefir pob ymgeisydd i safle freintiedig a gogoneddus Cydymaith. Do'n wir, datguddiwyd dirgelion i ma's, ac o dderbyn a deall cyfrinachau cyfriniol y tair gradd gyntaf, caiff fynd rhagddo'n llawn hyder ffydd i geisio'r Ganaan dragwyddol a geir yn nirgeledigaethau'r Triongl Cysegredig, y *Summum Bonum*. Arno ceir yr enw sydd goruwch pob enw . . .

JA-BUL-ON! JA-BUL-ON! JA-BUL-ON!

Megis y dyrchafodd Moses y sarff yn y diffeithwch, felly . . . '

Deffrôdd Salmon Jones o'i hepian anghysurus gan lwyr gredu am eiliad fod y Meistr yn galw'r mab i'w wledd ailenedigol. Sylweddolodd yn fuan, fodd bynnag, fod y twrnai ymhongar yn sglefrio'n reddfol i'w hwyl hedegog arferol, ac na fyddai tewi arno am hydoedd. Fe'i adwaenai yn dda fel gŵr hunandybus oedd yn awdurdod ar bopeth dan haul — pen bach o'r radd flaenaf a phen oedd mor wag â phen seren deledu Gymreig.

Oherwydd ei fawr athrylith rhoed iddo safle flaenllaw yng Ngorsedd y Beirdd, er nad oedd ganddo, mewn gwirionedd, yr un owns o ddawn lenyddol na cherddorol. Mewn gair, ni feddai ar ddawn yn y byd, ond yn unig y ddawn honno o foddhau chwantau cnawdol anniwall ei ysgrifenyddes dinboeth. Caed mwy na sibrydion yng nghylchoedd dosbarth canol y dref fod ganddo rywbeth rhagor na'r awch am gyflawni ei waith cyfreithiol a chyfreithlon yn effeithiol, pan welid golau'n hwyr-losgi yn ei swyddfa ambell gyda'r nos. Rhaid cyfaddef mai dynes o ddifrif ynglŷn â'i gwaith, yn ei holl rychwant, oedd Awel Môn, ei ysgrifenyddes fawrfrydig, frwdfrydig a rhyddfrydig, a oedd, yn ôl cyhuddiadau trigolion parchusaf tref Creuwyrion, '*â chydwybod mor llac â lastig ei blwmer.*'

Geiriau cwbl estron i Robert Daniel oedd gwyleidd-dra a swildod. Meddai ar bwrs llawn, a châi y gair o fod yn gribddeiliwr. Ni ragorai mewn haelioni tuag at yr anghenus na thlodion daear, na hyd yn oed at ffrwyth ei lwynau'i hun. Er hynny, gwelid ei enw'n rhoi addurn ac urddas anrhydeddus i dudalennau adroddiadau cyhoeddus capel ac eisteddfod. Braidd yn gyndyn ydoedd i hyrwyddo'r elusennau maswnaidd, er mai ef oedd gŵr-pen-doman y loj am eleni.

'Ac nac arwain ni i brofedigaeth, eithr gwared ni rhag drwg. Rho i ni, Bensaer Mawr, y Goleuni Mwyn, i ymlid y tywyllwch a'n gwaredu rhag anwybodaeth a chulni meddwl. Tyred â'r goleuni hwn i'n calonnau, i agoryd trysor-gistiau trymlwythog crefydd, athroniaeth a gwyddoniaeth, yn unol â'th ewyllys di ac ewyllys y Frawdoliaeth Fawr. Goleuni'r Byd, dihidla o'r nef i lawr gawodydd pur . . . '

Clywodd Salmon besychiad ffyrnig yn dod o gyfeiriad y seddau agosaf at yr allor, a sylwodd fod Tudur Edmunds, y gwerthwr tai, dan anwyd trwm, ac wedi hen syrffedu ar ruo di-baid y Brawd Daniel. Cydymaith clên, clên iawn, oedd Tudur. Gwnaeth yn fawr, chwarae teg iddo, o bob cyfle a ddaeth i'w ran, gan ddefnyddio'n ddoeth a darbodus ei safle ar Gyngor Tref Creuwyrion a'r Cyngor Dosbarth i hyrwyddo ffyniant materol rhai o deuluoedd parchus y dref, yn arbennig teulu anghennus yr Edmundsiaid. Os bu Cristion, gwir Gristion, erioed . . .

Meddai ar wybodaeth drylwyr o'r Deddfau Cynllunio a'u holl gyfleoedd a'u tyllau. Gallai eu troi a'u gweithio fel petaent namyn cyflaith. Ni pheidiodd y dŵr â llifo o ffynnon ddihysbydd y Pwyllgor Cynllunio i ddiwallu syched anniwall olwynion ei felinau ef, a gwyddai Salmon, o brofiad, nad oedd piso yn erbyn y gwynt yn rhan o athroniaeth bywyd y mab darogan hwn. Er lles y genedl a'r gymdeithas y gwnâi bopeth — pwysleisiai hynny'n rhyfeddol o gyson — a rhoddai le teilwng i'r Gymraeg yn ei hysbysebion lleol, chwarae teg iddo: mater arall oedd ei abwydon yn y *Birmingham Advertizer*. Cwynai'n barhaus am ddiffyg menter y Cymry i fuddsoddi mewn eiddo, a chystwyai'n rheolaidd y gwladgarwyr rhagrithiol hynny a fynnai ei fod ef a'i debyg yn euog o werthu eu genedigaeth fraint i estroniaid cyfoethog. Haeddai Wisg Werdd yr Orsedd.

Gallai ei gyfiawnhau ei hun yn hwylus trwy ddyfynnu'n gyson eiriau Samuel Johnson, un o'i hoff awduron, '*Politics are now nothing more than a means of rising in the world*'. Aml gnoc a dyrr y garreg, ac fe ddigaregodd Tudur Winllan Gwalia — a'i gwaedu i'r eithaf.

'Tywyllwch gweledol yw goleuni anniffoddadwy Teml y Seiri. Gwasgara'i belydrau sanctaidd i oleuo dyfodol dudew dynoliaeth. Trwy amynedd rhedwn ninnau'r yrfa a osodwyd o'n blaen ni. Awn rhagom i berffeithrwydd, a chadw'n golygon yn ddiwyro ar danbeidrwydd llachar y Seren Fore, yr hon a rydd nerth i ni, weiniaid y cleddyf daufiniog, i sathru'r gwinwryf dan draed a choncro gormes Edom, y fall ddieflig. Pa fodd y dihangwn ni, os esgeuluswn iachawdwriaeth gymaint?'

Caed eraill o fewn cynteddoedd cysegredig y Deml, yn gwmwl tystion amryliw, oll yn eu menig gwynion a'u regalia ffedogol, pob wyneb yn ddrych o ddiflastod gorfodol.

Dr Huw Foster, pennaeth cwrtais a didramgwydd un o ddwy ysgol uwchradd Creuwyrion, gŵr o egwyddor a eisteddodd yn gadarn ar ffens addysgol ei ddydd gydol ei yrfa ddiogel. Dyn pwyllog a gofalus — clîn-siêf, dwy iaith a *Brylcreem*.

Gwelodd Foster ddau newid mawr yn ei ysgol, a'r rheiny mewn un genhedlaeth — ar y naill law gweld iaith cyfrwng dysgu yn newid o'r Saesneg i'r Gymraeg, diolch i bolisi iaith lled-oleuedig Awdurdod Addysg Gwynedd, ac ar y llaw arall gweld iaith y cae a'r iard yn newid o'r Gymraeg i'r Saesneg, diolch, i raddau helaeth, i'w ddiymadferthedd ef ei hun, a'r rhan fwyaf o'i athrawon. Plygodd fel corsen ysig dan gorwynt dwyreiniol traed meirw'r mewnlifiad. Caed drewdod marwdy yn rhwyfo ar awelon ymrithgar coridorau ei academi.

Bellach, ac yntau yn hydref ei yrfa, câi fyw i weld sefydlu'r Cwricwlwm a elwid yn '*Genedlaethol*', gwerthu rhwydeidiau o ledod breision i'w waredu ei hun rhag awch bwyelli Prydeinllyd Arolygwyr ei Mawrhydi, a byw o'r naill wyliau Majorcaidd i'r llall â'i lygaid wedi eu hoelio'n ddiwyro ar y pwrs pensiwn gwaredigol a ymlusgai'n llawer rhy araf tuag ato dros y gorwel.

Henry Nelson Hughes, brocer yswiriant rheglyd tu ôl i'r llenni, a phregethwr cynorthwyol gyda'r Wesleaid. Gŵr hirwallt, rhadlon, haelionus ei galon, a adnabyddid yn ei gefn gan bawb, gan gynnwys ei wraig a'i feibion ei hun, fel 'Harri Han'bag'. Trodd barlwr ffrynt *Ansvar Villa* yn swyddfa, a'r swyddfa ryfeddol honno yn bochio gan lyfrau cownts, esboniadau a chofiannau. Nefoedd Harri ar ddiwedydd oedd plymio i ddyfnderoedd ei lyfrgell er diwallu serchiadau'i galon a sgrechiadau'i bulpud, a dysgu dyfyniadau addas o weithiau Tegla. Cymerodd yn ganiataol ei fod yn bregethwr cymeradwy ymysg cynulleidfaoedd gwasgaredig y Wesleaid Cymreig. Ymestynnai ei deyrnas bulpudaidd a pholisïaidd o'r Eglwys Bach hyd Gapel y Tyddyn.

Synnwyd ardal gyfan pan ddihangodd y gath o'r cwd un dydd i

fewian yn gyhoeddus fod Harri Han'bag, o bawb, yn un o'r Seiri Rhyddion. Nid bod Harri druan yn rhy hoff o athrawiaethau anarminaidd y loj, na chwaith yn cael rhyw lawer o gysur ariannol trwy'r cwsmeriaid oriog a chysetlyd a enillodd yno. Roedd y cyfan rywsut yn gwbl groes i'r graen, ac mor estron i'r fuchedd wladaidd honno oedd yn gymaint rhan o'i bersonoliaeth. Nid oedd, ac ni fu, yn batrwm o ffyddlondeb chwaith i weddill y Frawdoliaeth i'w edmygu na'i efelychu. Fodd bynnag, roedd Salmon Bwlch Mawr a Jabulon ei fab yn gwsmeriaid da iddo ers blynyddoedd lawer, a dyna pam y bu iddo heno chwythu'r llwch oddi ar ei ffedog.

Tynnodd Robert Daniel, pendragon Cyfrinfa Eryri, ei ffon ddwybig ato, a chododd ei lais i ddeffro'r meirw wrth gloi ei berorasiwn mewn gorfoledd. Heno, teimlodd ei fod ar uchelfannau'r maes. Chafodd neb arall yr un teimlad.

'Gwaedd uwch adwaedd, fe gaed heddwch! I'n Pensaer Mawr y byddo'r clod a'r gogoniant yn oes oesoedd.'

'O'r diwedd! O'r blydi diwedd!' ebychodd Salmon dan ei wynt. Sythodd ei dei a thynhaodd fwcwl ei ffedog, gan edrych yn ddisgwylgar tua'r drws am y mab a ddoi adref i'w wledd.

3

Curodd Jabulon Jones yn betrus ar ddrws derw clöedig Teml Cyfrinfa Eryri. Gwyddai y disgwylient amdano, ond nid oedd ganddo'r syniad lleiaf pa fath groeso a gâi. Tynnodd ei wynt ato, a sicrhaodd ei hun fod ei safle anrhydeddus ymysg deallusion y dref, yn gyfreithiwr parchus, — er yn ddigon cyffredin ei gyraeddiadau a'i gyflawniadau — yn ddarpar ddirprwy grwner, yn olffiwr dosbarth canol nodweddiadol selog ac anhylaw, yn foldew o ddyheadau diwylliannol Cymreig, yn Eglwyswr lled selog ac yn aelod unfed ar ddeg o Dachwedd o'r Lleng Brydeinig, yn rhoi iddo statws uwchlaw'r cyffredin, statws arferol darpar-Saer.

Gwyddai, fodd bynnag, fod Cyfrinfa Eryri yn wahanol i bob loj arall. Gyda dyfodiad busnesau teledu Cymraeg i'r ardal, a'r rheiny'n esgor ar fewnlifiad cyson a sylweddol i rai pentrefi ffansi, o Gymry pwysig dosbarth canol a ddymunai arddel, o leia' rhyw gymaint o'u Cymreictod, roedd chwyldro o fath wedi digwydd o fewn muriau yr hen deml. Teimlwyd gan rai fod dyfodol y genedl yn dibynnu'n llwyr ar Gymreigio Cyfrinfa Eryri.

Bellach, daeth bugeiliaid newydd gwâr-oleuedig i fygwth disodli cynheiliaid Prydeindod y *status quo*. Daeth Cymreictod Maswnaidd i'w oed, a gwelwyd offrymu gwaed newydd wrth allor Baal. Galwai'r rhain yn groch am golofn Gymraeg yn y *Masonic Square*, papur bro Seiri Rhyddion Prydain Fawr, a chlywyd sôn am sefydlu *Plant y Ffedog*, yn fudiad a chylchgrawn ar gyfer Seiri Cymraeg. Soniwyd am fwriadau anrhydeddus *Antur Saint* — wedi ei enwi ar ôl yr afon, nid y Seiri — i hyrwyddo'r weledigaeth ddwyfol. Ceisiwyd cario fflam arloesol y diwygiad i rannau eraill o Gymru, ond heb fawr lwyddiant hyd yma. Fodd bynnag, calonogwyd y gwrthryfelwyr gwrol hyn yn fawr pan ddeallwyd fod aelodaeth Gymreig y *New Welcome Lodge* yn San Steffan wedi cynyddu'n sylweddol yn ddiweddar, a bod Aelodau Seneddol, a hyd yn oed rai Arglwyddi, tanbaid eu Cymreictod proffidiol, a'r iaith yn wir faich ar eu calonnau, yn awyddus i weld Cymreigio Brawdoliaeth hen wlad y menig gwynion. Yn unol â'u hathroniaeth wleidyddol dorïaidd-unoliaethol, credent mai trwy San Steffan, a San Steffan yn unig, y gellid gwireddu, unwaith eto 'Nghymru annwyl, y freuddwyd ysblennydd hon.

Gwyddai Jabulon felly ei fod ar fin ymuno â chymdeithas oedd â'i bysedd gwynion ar byls Gwalia, cymdeithas â chenhadaeth ganddi dros y Gymraeg. Teimlodd ei galon yn cynhesu, a'i hyder yn cynyddu, wrth iddo sylweddoli o'r newydd fod yma wir ailenedigaeth i'r sawl a'i ceisiai. Cymdeithas newydd, cwango newydd, cyfeillion newydd, cyfleoedd newydd, cenedl newydd, Cymreictod newydd — Cymreictod o fath gwahanol, Cymreictod pwerus a dylanwadol, Cymreictod elusennol a phroffidiol, Cymreictod a chenedlgarwch a allai lenwi'r bwlch hwnnw ddaeth i'w fywyd pan ddiosgodd fantell rebel dyddiau gwylltion coleg a gwisgo parchusrwydd llonydd a chofleidio hunanoldeb saff.

Dyma gyfle, o'r diwedd, i dalu iawn am ei bechodau, i dalu pridwerth am ei ryddid. Dymunai weld llacio gafael gefynnau difaterwch a Phrydeindod arno, a hynny'n digwydd yn esmwyth, didramgwydd a di-boen. Wele ddrws yn agor iddo, drws a'i galluogai i fod yn Rhywun yn y frwydr dros Gymru a'r Gymraeg,

> '*heb gyrchu o neb i garchar*
> *na baw gwaed ond wyneb gwâr . . .*'

Ceid yma lenorion a beirdd a chantorion, enwogion o fri, yn wrol ryfelwyr yn enw Cyfiawnder, Brawdgarwch a Chariad, a bydd yntau Jabulon Jones Ll.B., wedi blynyddoedd o hirlwm gwleidyddol a diwylliannol, unwaith eto yn cerdded yn dalog ac yn wrol yn sŵn yr anthem a'r corn gwlad i feddiannu . . .

4

Daeth llygad ymchwilgar i'r twll 'nelu, ac agorwyd y drws.

'Noswaith dda, Frawd. Mae'n wir ddrwg gen i fod cyhyd cyn agor y drws. Roedd y *Worshipful Master* Daniel mewn hwyl gynddeiriog yn ei anerchiad, a fedrwn i yn fy myw adael y lle. Roedd o'n drydanol, bron na ddwedwn i yn arallfydol, heno 'ma.'

Agorodd Jabulon ei lygaid breuddwydiol i weld clamp o wên fêl yn lledu dros wyneb sarrug neb llai na'r Arolygydd Felix Ratt. Syllai hwnnw'n syn-ddeallus arno dros ymylon uchaf ei sbectol bwysig, a'r ddau lygad bach chwim, fel dau lygad cath fôr, yn ceisio, yng ngolau pŵl cyntedd y loj, chwilio cyrrau pellaf enaid yr un a safai'n betrus ar riniog y deml.

Felix Ratt, Arolygydd yr Heddlu, gŵr â'i gyneddfau ymchwiliol yn destun edmygedd Seiri'r dref wedi iddo ddwyn i'r ddalfa brifathro ysgol gynradd Llaneilfyw fu'n chwistrellu slogan lliwgar ar fur dwyreiniol Teml y Seiri — slogan dwyieithog mewn Lladin a Chymraeg! '*Nemo malus felix — dim tangnef i'r twyllwr.*' Gofalodd Ratt fod un o'i ringylliaid, cyn dwyn ohono'r tramgwyddwr haerllug o flaen ei well, yn rhoi cwrbits iawn iddo yn dâl cyfiawn a thadol am ei ymdrechion artistig murluniol digywilydd.

Gofalodd Ratt hefyd fod ei dystiolaeth i'r llys mewn Cymraeg tra chroyw er, bryd hynny, yn ddidreigliad. Cofio'n sydyn wnaeth o fel y bu iddo addo, ar ei beth mawr a bedd ei nain, ac ar ei apwyntiad i'w swydd, ei fod am ddysgu'r heniaith annwyl. Ond gan nad oedd, ac nad oes, gan Heddlu'r Gogledd ddigon o fodd nac awydd i anfon gweision uniaith am ryw wythnos neu ddwy i Nant Gwrtheyrn, na chwaith unrhyw fwriad i fynnu rhoi cariad a pharch at y Gymraeg yn uchel ar restr ei flaenoriaethau proffesiynol, llithrodd yr ymrwymiad, rhywsut neu'i gilydd, o'i gof. Y rheswm — cyfiawn bob amser wrth gwrs — oedd fod y Gymraeg a'i threigliadau yn iaith rhy anodd i'w dysgu. Ceisiai'r troseddwr o brifathro ei ddarbwyllo bod yna o hyd blant bach dwy a theirmlwydd oed oedd yn gallu dysgu Cymraeg. P'un bynnag, doedd dim angen y blydi iaith mewn na rheinws na loj. Gwaetha'n ei ddannedd, fe'i gorfodwyd dros y blynyddoedd i gydymffurfio'n ieithyddol â'r mwyafrif y trigai yn eu plith, y mwyafrif hwnnw, hoffed neu beidio, oedd yn ffon ei fara, er yn wrthrych cyfrinachol ei ddirmyg.

'Fi ydi'r Drysor, Ceidwad y Porth. Nid yw neb yn dyfod i mewn ond trwof fi.'

'Inspector Ratt, mae'n dda gweld hen gyfaill, a theimlo cynhesrwydd y croeso.'

'*Hen gyfaill* yn wir, Jabulon Jones, *hen gyfaill* yn wir.'

Amlygid y rhagrith gan y pwyslais, canys gwyddai Jabulon na allai gyfri Ratt, o bawb, ymysg ei ffrindiau. Rhoddodd ei gas arno flynyddoedd lawer ynghynt.

Amheuai a oedd gan y cnaf ffrind o gwbl. Gallai muriau chwyslyd Cwrt Bach y dref dystio drachefn a thrachefn i'r gwrthdaro parhaus fyddai rhyngddynt bob dydd Gwener, er nad oedd yn rhaid i'r Arolygydd ofni rhyw lawer o du Jabulon Jones. Gwyddai Ratt hynny'n burion, a gwyddai, o'i hir-ymarfer, sut i rwbio pwysi o halen creulon ar friwiau'r cyfreithiwr aflwyddiannus.

Yr uffar dauwynebog! meddyliodd Jabulon. *Dwi'n cofio'n rhy dda achos Jac Puw druan a ddaliwyd yn peintio'r slogan anfarwol honno ar fur . . .*

'Dowch i mewn, Mr Jones, a chroeso twymgalon i'n plith. Rydach chi heno mewn cwmni dethol, goreuon cymdeithas.'

Synnwyd Jabulon gan dynerwch ei dôn.

'Dowch trwodd i'r stafell newid. Mae gan y Brodyr annwyl rywfaint o fusnes y loj i'w drafod cyn y byddant yn cynnal yr oedfa dderbyn.'

Hebryngwyd Jabulon mewn distawrwydd at gadair gefn-uchel ym mhen pella'r ystafell wisgo, ac eisteddodd yntau ynddi'n ddiolchgar. Rhoed ar ddeall iddo y byddai cryn ysbaid cyn y gelwid arno, ac y deuai Teilydd y Gyfrinfa i'w gyfarch yn y man, a'i baratoi ar gyfer yr oedfa dderbyn. Dychwelodd Felix Ratt at ei orchwylion diflas.

Brensiach annw'l, dyma ddechra anfarwol. Hwnna, o bawb, y cynta i'm cyfarch. Ta waeth. Mae'n gysur meddwl — wel, dwi'n gobeithio o leia' — y bydda' i, o heno ymlaen, ar well telera' ag o. Aml gnoc piau hi. Mi godith hyn oll fy statws fel twrna — ac fel llenor, gobeithio.

Teimlai Jabulon yn union fel troseddwr wedi ei gloi'n ei gell i'w noson gyntaf yng ngharchar. Aeth rhyw ias annifyr trwyddo. Dechreuodd ailystyried pethau. Daeth amheuon cas i'w lethu. Roedd pobman a phopeth mor ddieithr ac mor estron iddo.

Codai muriau panelog a tho uchel yr ystafell rhyw arswyd arno, yn union fel y bore hwnnw y cafodd ei hun, am y tro cyntaf, yn eiriol gerbron ustusiaid y dref am estyniad trwydded nos G'langaea i dafarn yr *Emperor's Sun*. Roedd Ratt yn y fan honno hefyd, yn llond ei groen, a'i grechwen yn tanlinellu methiant y cyfreithiwr ifanc ar ei gynnig cyntaf. Teimlai yr un mor unig yn awr, yn nhrymder ystafell wisgo Cyfrinfa Eryri, hen ŵr ei dad ond trwch pared oddi wrtho, ac yntau, pŵr dab, heb wybod yn iawn beth a'i wynebai.

Ystwyriodd Jabulon yn anghysurus yng nghadair galed ystafell wisgo Cyfrinfa Eryri, gan chwythu'i drwyn a sychu'r chwys oer oddi ar ei ddwylo. Yn ddisymwth, clywodd sŵn angylaidd, sŵn canu, canu Cymraeg, a'r Brodyr yn y loj yn ei morio hi'n ddiddeall ar gwch angladdol yr hen dôn Babel.

> *'Bydd myrdd o ryfeddodau*
> *Ar doriad bore wawr*
> *Pan ddelo plant y tonnau . . .'*

Adnabu'r dôn yn syth, gan iddi unwaith fod yn rhan o'i brofiad yntau. Do'n wir, bu Jabulon, ar un adeg, yn ymhél â cherddoriaeth, er ei fod, rhaid cyfaddef, yn bur amddifad o draw cerddorol. Roedd ganddo fysedd anhylaw a llais fel rasal.

Mynn ei dad ganddo dderbyn gwersi piano wedi i'r Ficer, y Parchedig Ithel Robinson, awgrymu y byddai'n fuddiol cael ail organydd yn Eglwys Sant Eilfyw, rhag ofn i'w briod hawddgar, Mrs Ribena Robinson, benderfynu ymddeol yn gynnar, symud i'r Gadeirlan pe penodid ei hannwyl ŵr yn esgob, neu farw.

Prynir cês brown o ledr smalio, gyda rhoden bres ar ei draws, a threfnir i'r hogyn gael gwersi ym mharlwr ffrynt Awel Môn, ysgrifenyddes ufudd Robert Daniel y twrnai, a chyfeilyddes hyfedr Côr Meibion yr Orffiws Creuwyrion flynyddoedd yn ddiweddarach.

'Dwi'n bymtheg oed, 'Nhad! Braidd yn hen i ddechrau canu piano.'

'Hyna'n y byd wyt ti, cyflyma'n y byd y dysgi di,' ydi athroniaeth gerddorol obeithiol Salmon Jones.

Colura Awel Môn ei hun yn drwm. Mae ei hwyneb yn un plastar drewllyd. Ceisia guddio rhychau diwrthdro enciliad ei hieuenctid. Cyfeddyf Jabulon fod y drewdod yn troi arno, ac mai gwell fyddai ganddo fo ogla naturiol chwys cesail na'r powltris afiach a orchuddia wep ei diwtor. Un ryfedd ydi Awel Môn.

Gwrandawodd y darpar-Fesn yn astud ar y baswyr drws-nesa yn rowlio eu cwaferi cnebryngaidd.

> *'Oll yn eu gy-yna-au gwynion, gynau gwynion,*
> *Ac ar eu newydd wedd . . .'*

Hon oedd llinell fawr Awel Môn.

'Tyrd, Jabulon, 'nghariad aur i, cryfha dy law chwith,' sisiala'r Awel fwyn, gan gydio ynddi â'i llaw ei hun, a phlannu ewinedd cochion ei llaw arall ar ganol clun grynedig Jabulon, a thapio'i bysedd yn uwch ac yn uwch i guriad molto marcato *y dôn yr un pryd. Ymollynga'r disgybl yn llwyr i fyseddu cyffrous a cherddorol meistres y ddefod, ei galon yn curo fel gordd, a phob gewyn yn ei gorff yn profi rhyw deimladau rhyfeddol a gwefreiddiol nas profwyd ganddo o'r blaen, hyd yn oed pan gludai'r llythyrau poethion rheiny at Edith Dew wrth chwarae* Postman's Knock *yn Rallt Rhedyn Bwlch Mawr. Llwydda Awel Môn i ddyrchafu'r disgybl a'i gerdd i dir a thonfedd uwch nag erioed, a thrwy gyfrwng gwyrthiol rhyw* accelerando *nas bwriadwyd mohono gan gyfansoddwr y dôn, cyrhaeddir uchafbwynt rhyfeddol, gan roi rhyw newydd wedd nefolaidd i deimladau tyner llanc pymthengmlwydd diniwed.*

Ysywaeth, byrhoedlog yw brwdfrydedd y Solomon newydd, a phrin gynddeiriog yw ei gynnydd. Nid yn hir y chwery llygoden yn llosgwrn y gath. Ar gais y tad am ei barn onest, all Awel Môn ond cydnabod yn siomedig mai dal yn anhylaw mae dwylo'r llanc. Ni ŵyr yn iawn beth i'w wneud â'i organ. Er mawr ryddhad i ddisgybl syrffedus, rhydd Salmon glep ar gloriau'r llyfr tonau, gan fwmial yn drist am ryw offeryn yn hongian yn llipa ar helygen ym Mabilon.

Distawodd y gân a lifai drwy'r pared, a daeth rhyw gryndod afreal i feddiannu cynheddfau Jabulon Jones Ll.B. Teimlodd chwys oer yn crynhoi ar ei dalcen, a theimlodd grothau'i goesau yn rhoi fel dripin tawdd. Ceisiodd ymwroli. Synhwyrai fod ei awr wedi cyrraedd, ac y byddai, o fewn dim, yn yr un Arch, ac o fewn yr un Cyfamod â'i dad, yn un o Blant y Goleuni ac yn un o Etifeddion y Deyrnas, Teyrnas nas dichon i byrth uffern ei gorchfygu.

5

Ar y mur o'i flaen hongiai lluniau anferth mewn fframiau goreuredig, lluniau cyfrin ac ysblennydd o '*Worshipful Masters, Past and Present*', wynebau cuchiog dynion trymion eu hamgyffred — dynion a dynnodd gwysi union, ac a fu'n ddrysau ymwared di-ffael, yn gymorth hawdd eu cael mewn cyfyngder i gannoedd, os nad miloedd, o frodyr un-fryd.

Ac yna fe'i gwelodd, '*Worshipful Master Brother Solomon Jones, 1958-59*', yn bathetig ei wedd, fel iâr ar y glaw, yn ceisio gwenu heb orwenu, a'i ffedog startslyd addurnedig yn gorwedd fel hambwrdd ar ei forddwyd. Am eiliad, ac eiliad yn unig, llanwyd calon Jabulon Jones Ll.B. â balchder a diolchgarwch am dad mor ofalus a phwerus, am dad dylanwadol, a dweud y lleiaf.

* * *

Jabulon Jones oedd unig fab Salmon Jones ac etifedd ystad a ddaeth i feddiant y tad '*trwy ddirgel ffyrdd Rhagluniaeth*'. Roedd iddo ach werinol, ond tra anrhydeddus.

Taid Salmon a hen daid Jabulon oedd Amos Jones, gwerinwr tlodaidd iawn ei amgylchiadau a geisiodd gael deupen llinyn ynghyd trwy hollti llechi yn Chwarel Cae Cribin, a chadw tyddyn dwy fuwch a dyniawed. Perthynai i'r Amos hwn ddawn broffwydol amheuthun. Ef oedd pennaf lladmerydd chwarelwyr gorthrymedig Cae Cribin yn erbyn gormes stiward a pherchennog; ef fyddai ucha'i gloch pan luchiai'r meistr tir ei gylchau. Ymhyfrydai yn newrder honedig ei dylwyth adeg helyntion cau'r tiroedd comin flynyddoedd lawer cyn ei eni, gan i un o'i wehelyth fwrw amheuaeth, ar goedd gwlad, ar dadolaeth y meistr tir ei hun.

Mudodd Amos Jones i ardal Llaneilfyw pan oedd Diwygiad Richard Owen sir Fôn yn ei anterth. Dyna pryd y bu iddo gyfarfod â'i ddarpar wraig, Mari'r Fron Fudur, amheus ei chymhellion diwygiadol, yng nghapel Tabor, Cae Cribin. Wedi mynd yno o ran chwilfrydedd oedd Mari, a rhwng chwarter gwrando ar Richard Owen yn traethu'n ysgubol ar 'Hunan-Ymwadiad' a llygadu'r gŵr ifanc tanbaid ei drem a'i amenau a eisteddai gerllaw iddi, bu'r noson yn brofiad, yn wir yn brofedigaeth, i ferch y Fron Fudur. Cadwyd cyfeillach braidd rhy glòs ym môn rhyw glawdd a gadawodd Amos Jones ei ddoniau proffwydol ym mhlygion siôl y forwynig hon, gan ddehongli athrawiaeth achos ac effaith yr Amos arall hwnnw mewn ffordd na fyddai'r Ysgrythur lân go brin yn ei chymeradwyo. Canlyniad anochel campau diwygiadol Amos a Mari oedd Dafydd Jones, tad Salmon. Tyfodd hwnnw i fod yn ŵr swrth a dibersonoliaeth.

Yn rhyfeddol ddigon, mewn cyfarfod diwygiad y bu i Dafydd yntau, ugain mlynedd a rhagor yn ddiweddarach, rhyw ddechrau stwna o gwmpas yr un yr oedd i'w derbyn yn gymar oes.

Gwanwynol ddydd yn Ebrill, mil naw dim pump, oedd achlysur y cyfarfyddiad hwnnw, a phen bryniau gwlad y menig gwynion yn llawenhau fod llanc o Gasllwchwr, fel 'rhen Dalysarn gynt, yn '*fawr ŵr Duw, rhoes Gymru ar dân*'. Plyciwyd anhydyn bentewyn, ym mherson Dafydd Jones, o dân mwy anniffoddadwy, ond heb lwyr ddiffodd gwreichion nwydus salmau ei ieuenctid. Cynheuwyd fflamau dilech angerddol mewn dwy galon, gan esgor ar danau a thannau tynerach. Diwedd y gân fu Salmon, ond pur gyndyn oedd pen y bryniau i lawenhau y tro hwn. Methodd Lot Wmffras druan, teiliwr Cae Cribin a thad y Sera feichiog hon, yn lân â dygymod â'r syniad fod ei ferch ieuengaf ar fin ei adael i gadw tŷ a gwely cynnes i fab y Fron Fudur. Byddai ei ogof yntau'n *Soar View* yn oerach o sbelan.

Chwaer Sera, a merch hynaf y teiliwr, oedd Beca, gwraig Abram Lewis Bwlch Mawr, ffermwr mwyaf cefnog ardal Llaneilfyw. Abram oedd perchennog y Fron Fudur yn ogystal, yn feistr tir ar Dafydd a Sera, ac er y credai Dafydd druan y dylsai gwaed fod yn dewach na dŵr — yn arbennig felly pan yn pennu swm y rhent — rhyw lastwr rhyfedd a lifai trwy wythiennau y ddwy chwaer. Doedd fawr o Gymraeg rhyngddynt. Lladdwyd eu hunig frawd, Seth, yn y Rhyfel yn erbyn y Boeriaid, a bu'r ddwy am y gorau'n galaru ar ei ôl. Prin oedd unrhyw dystiolaeth o losgach p'run bynnag. Bellach, roedd Beca'n wraig fawr, a Sera'n wraig dlawd, y naill yn fam i Martha, a'r llall yn fam i Salmon, dau blentyn llywaeth a llonydd, heb fawr o fenter na chrebwyll na doniau.

Plentyn unig fu Salmon gydol ei blentyndod. Oedodd Sera hyd chweched pen-blwydd y bachgen gwelw cyn ei ddiddyfnu, ac o hynny ymlaen fe'i magwyd ar foron a chloron, a llaeth dwy fuwch denau'r Fron Fudur. Carcharwyd ei orwelion o fewn cloddiau sychion y tyddyn, a llyffetheiriwyd ei holl symudiadau di-ffrwt gan gortyn barclod mam feddiannol. Cyfyngwyd hyd a lled ei ddychymyg i fyd tylwyth teg a chewri ac ysbrydion, a methrinwyd yn ei bersonoliaeth ryw hygoeledd anghyffredin.

Yn yr ysgol cafodd plant Llaneilfyw gocyn hitio anfarwol, a bu'n gyff gwawd ysgolfeistr pryfoclyd. Mynych, oherwydd ei enw a'i bersonoliaeth, y cyffelybid ef i bysgodyn a lyncai pob abwyd a bachyn a chefnan. Bodlonodd Salmon ar ymddeoliad cynnar o fyd addysg gan grynhoi hynny o egni a feddai i ffugio salwch er mwyn osgoi arteithio parhaus ciwed yr iard a'r ystafell ddosbarth. Tyfodd, ond ni phrifiodd. Ac wedi claddu ei dad flwyddyn y Datgysylltiad, ymollyngodd Salmon ddiymadferth i dreulio gweddill ei ddyddiau yn arffed gynnes yr hon a'i dygodd i hyn o fyd annheg a chythryblus. Sefydlwyd Plaid Genedlaethol yng Nghymru, bu argyfwng adfydus Streic Gyffredinol, llosgwyd Ysgol Fomio yn Llŷn a lladdwyd miliynau yn heldrin a holocawst yr Ail Ryfel Byd. Digwyddodd a darfu'r cyfan y tu allan i gylch amgyffred a chonsýrn mab Sera'r Fron Fudur. Aeth pob newyddion, bach a mawr, di-nod a thyngedfennol, i mewn trwy un glust — os hynny — ac allan trwy'r llall.

* * *

Ym mil naw pedwar pump bu farw Abram Lewis Bwlch Mawr, gŵr Beca, tad Martha, brawd-yng-nghyfraith Sera, ewythr Salmon, a pherchennog y Fron Fudur. Cynheuwyd tân ar hen aelwyd genod y teiliwr, ac aeth Sera a'i mab Salmon i fyw at Beca a'i merch Martha i'r Bwlch Mawr.

Gweddnewidiwyd Salmon dros nos, ac am y tro cynta'n ei fywyd sylweddolodd fod rhagor rhwng fferm a fferm, a rhwng fferm a thyddyn. Deffrôdd trwyddo a chanfu rhyw egni rhyfeddol o rywle. Cyniweiriwyd ynddo awchau bydol a chnawdol na wybu gynt amdanynt, ac ymrodd i roi ei ddeg ewin ar waith ar ffridd ac mewn corlan a beudy. Adeiladodd ysguboriau newyddion iddo'i hun, a bellach roedd ganddo dda lawer. Gallai o fewn dim ei longyfarch ei hun, ac ymroi i fwyta, ymorffwys a bod yn llawen. Ysywaeth, nid dibrofedigaeth mo'i fywyd newydd a'i ynni ailanedig.

Yn fuan wedi'r mudo cafwyd bod Martha Bwlch Mawr yn feichiog a doedd ond Salmon, ei chefnder gwirion, i'w feio. Achos yr aflwydd oedd fod Salmon a'i gyfnither wedi cael hwyl bach diniwed ar ddathlu heddwch byd, nid â the parti yn festri Carmel fel pawb arall o drigolion siriol Llaneilfyw, ond yn nhangnefedd cysurus llofft yr ŷd. Cafwyd priodas sydyn, a merched tafodrydd y pentre'n glafoerio'n goeglyd yn arogl anghyffredin y dorth a grasai ym mhopty Bwlch Mawr.

Daeth baban gwan, cythreulig o wan, i'r byd, a pharhawyd ag arfer y ddwy ochr o wisgo parchusrwydd a duwioldeb teuluol ag enw Beiblaidd. Fe'i bedyddiwyd gan weinidog y teulu yn Methiwsela. Ond bu farw'r bychan cyn cyrraedd ei ddyflwydd.

Daeth dau ŵr clên o wlad y menig gwynion i guro ar ddôr Bwlch Mawr. Gwrandawodd y Salmon ehud hwn ar eu hudo hudolus. Fe'u cawsant yn ei wendid. Prynodd pedlerwyr y menig gwynion yr amser. Wedi'r hudo llwyddiannus, a chadw'r belen fach ddu o'i blaid, wedi'r addunedu a'r tyngu llwon, a'r jolihoetio diddiwedd wrth fyrddau'r *Punchinello Arms* yng nghwmni cyfeillion a fynnai lynu wrtho hyd angau, ond nid hyd dlodi, fe'i derbyniwyd â deheulaw cymdeithas y Brodyr, ar Alban Eilir mil naw pedwar saith, yn aelod cyflawn breintiedig o Gyfrinfa Eryri, *Snowdonia Lodge of the Ancient Fraternity of Free and Accepted Masons under the United Grand Lodge of England.*

Hwn oedd dedwydd ddydd tröedigaeth Salmon Jones, gynt o'r Fron Fudur, ac yn awr o'r Bwlch Mawr, gynt yn llipryn a lethwyd, ond rŵan yn gawr a godwyd.

Neidiodd yr eog am y bluen a chafodd y pysgotwyr helfa fras. Gwirionodd ar y sylw a roddai'r Brodyr iddo, mwynhaodd unrhywiaeth gyfiawn y Frawdoliaeth, ac er ei dwpdra cynhenid, gwelodd gyfleoedd na fu gynt ar gyfyl ei ddychymyg.

Yn goron ar y cyfan ganwyd mab cyfreithlon iddo ef a Martha, ei holl obeithion wedi eu crynhoi mewn un enaid bychan a fyddai, gobeithio, yn cyflawni'r cyfan o ddyheadau dilychwin y tad. Y mab hwn oedd Jabulon.

Daeth i'r byd ar fore'r dydd cyntaf o Ebrill, mil naw pedwar wyth, a chadoediad yr Ail Ryfel Byd yn tynnu am ei drydydd pen-blwydd. Er gwaetha'r dogni bwyd ym mhentref tlodaidd Llaneilfyw, sugnodd Jabulon Bwlch Mawr o helaethrwydd hufen teth aur ei fam. Cafodd bob cysur a mantais, pob swcwr a gofal. Fe'i molicodliwyd o'i glytiau.

Achosodd ei enw, fodd bynnag, hwyl a helynt yn y fro — hwyl i'r coeg-ddifyrwyr diniwed hynny a feddyliai mai enw Beiblaidd arall ydoedd, a helynt o du yr unig ŵr yn yr ardal a wyddai'n burion mai enw crefyddol, ie, diawledig o grefyddol, oedd yr enw Jabulon. Roedd gan yr enw gysylltiad cyfrin a sinistr â chrefydd newydd Salmon Jones, crefydd oedd yn baganaidd o'i chorun i'w sawdl.

Gwyddai'r Parchedig Huw Elias hyn, o'i hir astudiaeth o'r cwlt. Roedd yn elyn anghymodlon i Faswniaeth yn ei holl weddau, ac yn ddyn â digon dan ei ewin. Yn uniongred Galfinaidd ei ddiwinyddiaeth, yn eofn ei safiad yn ddieithriad, gwrthododd fedyddio etifedd bach Bwlch Mawr yng nghapel Carmel, a hynny'n unig o achos yr enw '*Jabulon*'. Creodd gyffro yn y capel ac yn yr ardal. Ymddiswyddodd dau flaenor a nifer o'r aelodau. Ond ni syflodd Huw Elias yr un fodfedd oddi ar ei ddisgwylfa. Agorodd ffos yng Ngharmel ac fe'i llenwodd â dwfr bywiol. Bwriodd frwmstan o'i gadair ymadrodd danllyd gan wasgu'n ddidrugaredd ar gadarnleoedd yr eilun-addolwyr.

'Gwae chwi yn arddel gwrthuni paganaidd y drindod Faswnaidd — pob sill o enw cyfansawdd baban Bwlch Mawr, enw na fwriadaf ei ynganu na'i sibrwd o bulpud Carmel, yn cynrychioli person o drindod sy'n gabledd ar enw Duw ein Tad, a Thad ein Harglwydd Iesu Grist. Yn waeth na'r cyfan, ie'n wir, mae enw'r Duw glân a sanctaidd Ei Hun yn rhan o'r cabledd.'

Bwriodd Elias iddi â'i holl enaid.

'*Ja* — *Jawe*, duw yr Hebreaid; *Bul* — *Baal*, duw y Cananeaid; *On* — *Osiris*, duw yr Eifftiaid. Ai dyma'r Dihalog Dad y gelwir arno o bulpudau Cymru? Ai dyma'r Tad Tragwyddol a drefnodd Feichiau cyn bod dyled, a drefnodd Feddyg cyn bod clwy'? Ai dyma'r Tad Trugarog a roddodd, yng nghyflawnder yr amser, ei Unig-anedig Fab yn iawn digonol dros ein pechodau ni, fel na choller pwy bynnag a gredo ynddo Ef? Ai dyma'r Tad hollalluog a hollddigonol? Ai hwn yw'r Hen Ddihenydd, Brenin nef?'

Suddodd ei gyllell i berfedd y baban, a rhoddodd dro arni.

'*Aleph, Beth a Lamed* — A, B ac L — tair o lythrennau'r wyddor

Hebreig, tair llythyren a osodwyd ar gonglau dieflig triongl plât aur y *Royal Arch*, tair llythyren felltigedig a ddefnyddir i'n harwain ni at allor waedlyd Baal. Dim ond tair llythyren! Dim ond tair! *AB BAL* — Arglwydd Dad! *AL BAL* — Arglwydd y Gair! *LAB BAL* — Arglwydd yr Ysbryd! A'n gwaredo! Baal, yn dad, mab ac ysbryd! A'n gwaredo! Baal, yn dduw gras! Dyma au grefydd temlau'r nos a'r tywyllwch! Dyma au grefydd teml y fagddu yng Nghyfrinfa Eryri! Dyma au grefydd penlinwyr bronnoeth a gwyrdröedig allor y *Snowdonia Lodge*! Byddai bedyddio baban Bwlch Mawr â'r enw cableddus y myn ei rieni ei arddel arno yn troi cysegr ein tadau, a chysegr ein Tad a'n Harglwydd gogoneddus, yn ffald i'r Philistiaid, yn allor i'r athrodwyr, yn synagog i Satan. Na ato Duw! Na ato Duw!'

Bu hyn yn fwy na digon. Sorrodd Salmon Jones, Bwlch Mawr yn bwt, ac ymunodd ef a'i deulu â'r Eglwys Sefydledig. Bedyddiwyd y bychan yn '*Jabulon*' wrth allor Sant Eilfyw, yn enw'r Tad, a'r Mab, a'r Ysbryd Glân, a than law agored rasol ac uniawn y Parchedig Ithel Robinson, Caplan Anrhydeddus ac aelod brwd o'r *Snowdonia Lodge*. 'Yn nhŷ fy nhad y mae llawer o drigfannau . . . ' Roedd y baban bellach yn gadwedig, ac ar ei ffordd i wlad a lifeiriai o laeth a mêl, gwlad oedd yn drybola o fenig gwynion.

6

Agorwyd y drws yn ddistaw, a llithrodd Teilydd Cyfrinfa Eryri i mewn i'r ystafell wisgo.

Cadifor Efnisien Walters M.A. *entrepreneur* ifanc Cymreig, sefydlydd a pherchennog Gwasg Sycharth — gwasg wladgarol arall wrth gwrs — yn Gardi o'i gorun i'w sawdl, ei dad yn ffermwr ac arwerthwr ffyniannus yn y wlad a ymestynnai o Reidol i Deifi, ac yn fardd coronog. Etifeddodd Cadifor ddiléit ei dad mewn busnes, barddoniaeth a brawdgarwch, y tri hyn, gan ymroi fel pob amaethwr a Chymro da, i wrteithio'i borfeydd yn dyner, a godro'i wartheg yn bwyllog a thrwyadl.

Bellach, roedd wedi hen ennill ei blwyf yn y cylchoedd allweddol fel llenor blaengar a heriol, yn ôl-fodernaidd ei athroniaeth, yn aml-haenog ei gynnyrch, ac yn bwysicach na dim, yn gannwyll llygaid Cyngor Celfyddydau Cymru. Gyda chymorth hael y cwango diwylliannol hwnnw, prifiodd fel llenor. Daeth iddo ddawn trwy ddoleri, ac enwogrwydd trwy elusen. Cafodd bunt am bob rhech.

Nid bod fawr o ddarllen ar ei farddoniaeth na'i ysgrifau, er cymaint clod rhai beirniaid clicyddol. Argyhoeddwyd Cadifor yn gynnar yn ei yrfa lenyddol ddisglair mai gwerin ddigrebwyll, Philistaidd bellach, oedd gwaddod y gynulleidfa ddarllengar Gymraeg, pobl a hoffent stori yn hytrach na sylwedd, pobl na fedrent werthfawrogi newydd-deb dadeni diweddar rhyddiaith Gymraeg.

Yn unol â'i argyhoeddiadau radical, ac heb anghofio anogaeth a chanmoliaeth ei edmygwyr a cheidwaid celfyddyd, cyhoeddodd doreth o gyfrolau hirwyntog a diflas gan feirdd mecanyddol diawen, oedd yn arbenigwyr ar anagramau, nofelwyr annealladwy a chwbl ddiystyr a efelychai'n slafaidd lenyddiaeth Tolkien a'i gyffelyb, ac a ddyrchefid i'r entrychion fel nofelwyr ffantasïol, a nifer o lyfrau taith yn Saesneg i gadw dysglau'r Bwrdd Croeso a'r

Noddwyr yn wastad. Bwriadai rhai o'r llenorion goleuedig hyn olygu, ac yn wir, ailsgwennu ac ychwanegu at y Mabinogion er mwyn eu moderneiddio, eu gwella'n sylweddol a'u harchalegoreiddio.

Cribodd i lawes llengarwyr a noddwyr a daeth yn ŵr poblogaidd yn y cylchoedd Cymraeg, er ymwrthod â chapel ac eglwys. Teimlai'n gryf ar fater hawliau homos, er na fu iddo erioed chwifio'i faner yn gyhoeddus. Cadwai saith o gathod, a charai ddarllen cylchgronau budron benywaidd yn ei wely.

Hwn oedd yr anghynnes Cadifor Efnisien Walters, '*Walters y Wasg*' i'r boblach lleol, er iddo gael llysenwau llai ffafriol yn ystod ei ddyddiau nwydwyllt colegol, yn Cew, Cadi a Chadi-ffan.

Ac fel y digwydd yn fynych mewn cylchoedd Cymraeg cyfyng, caed sibrydion, rhai yn ddigon diniwed, ond eraill yn faleisus. Cyfeirid weithiau at ei rywioldeb annaturiol a'i ddiffyg diddordeb amlwg mewn merched. Ni fu sôn amdano'n canlyn erioed — canlyn merch hynny yw! Wyddai neb o drigolion Creuwyrion beth fyddai perwyl ei fynych ymweliadau bwrw Sul â Llundain ac Amsterdam. 'Ymhell mae llwynog yn lladd' oedd dyfarniad greddfol ei gydnabod.

Bellach, ac yntau'n tynnu am ei hanner cant, gallai edrych yn foddhaus ac ymffrostgar ar droeon ei yrfa a'r gwaith arloesol a diddiolch a gyflawnodd dros y blynyddoedd. Gallai, heb ryfygu, feddwl am ymddeol yn y dyfodol agos. Wedyn gallai ymroi i lenydda (gyda grant, wrth gwrs), porthi S4C â sgriptiau gwych *avant-garde*, a seiadu â chyd-lenorion. Gallai hyd yn oed ymrithio fel cenedlaetholwr unwaith yn rhagor, a chyhoeddi ambell i gerdd a thruth gwladgarol, heb sôn am gynyddu ei gyfraniad ariannol i'r Urdd, a'i gyfraniad ariannol dienw i Blaid Cymru. Roedd hi'n hen bryd iddo gryfhau ei ddelwedd wladgarol, a bellach roedd mewn sefyllfa ddiogel i wneud hynny, gyda'r Eisteddfod Genedlaethol, bendith arni, wedi cydnabod o'r diwedd ei gymhwyster diamheuol i feirniadu cystadleuaeth y Fedal Ryddiaith pan ymwelai'r Ŵyl â Chreuwyrion. Y flwyddyn nesaf fyddai *Annus Mirabilis* Walters y Wasg, llenor mwyaf goleuedig ac eangfrydig (yn ei dyb ei hun, beth bynnag) Gorsedd Beirdd Ynys Prydain.

Am eiliad, ni sylweddolodd Jabulon fod ganddo gwmni. Ni allodd lai na dychryn drwyddo pan deimlodd law feddal yn gwasgu ei wegil yn ysgafn-chwareus.

'Cynt y cyferfydd dau ddyn na dau fynydd,' sisialodd llais coeth, ac amlwg ddiwylliedig, yn ei glust chwith.

'Cew!' ebychodd Jabulon, gan sefyll yn ffrwcslyd ac araf rwbio'r fan lle bu'r llaw.

'Feddyliais i erioed y byddet ti'n cofio'r hen lysenw gwrthun yna.'

Cuchiodd Cadifor arno dros ymylon meinion ei sbectol academaidd. Er bod y ddau ohonynt yn gweithio'n yr un dref, ni chroesai eu llwybrau, a byth ers y dyddiau coleg hynny yn Aberystwyth gryn chwarter canrif ynghynt, dyddiau y byddai'n dda gan y ddau ohonynt eu anghofio, doedd gan Jabulon fawr o feddwl o'r pwysigyn rhwysgfawr a'i wynebai. Heno, fodd bynnag, rhaid oedd cuddio teimladau, ceisio anghofio beiau, ac ymddwyn yn gyfeillgar er mwyn elw'r dyfodol.

'Cymeraf yn ganiataol,' sibrydodd y llais merchetaidd, 'fod dy dad a'r Brawd Daniel wedi dy frîffio'n drwyadl. Fe wyddost felly, y byddaf finnau, Teilydd y Gyfrinfa, yn dy baratoi, gorff ac enaid, ar gyfer dy dderbyniad i gyfrin gymdeithas y saint. Am hynny, byddwch chwithau barod . . . '

Brawychwyd Jabulon am yr eildro. Hwn, o bawb, ar fedr hel ei balfau melfedaidd modrwyog dros ei gnawd! Y cadi-ffan uffar! Y syniad!

Ond yn gyntaf, y paratoad eneidiol, gyda'r pab bychan pwysig yn cynnal ei chwilys yn ôl trefn a defod Cyfrinfa Eryri.

'A fedri di gadarnhau mai oherwydd bod gennyt feddwl o'r Frawdoliaeth a'i hathrawiaethau anffaeledig y ceisi heno aelodaeth o'r Gyfrinfa? A fedri di gadarnhau nad oes gennyt unrhyw gymhellion bydol na hunanol dros geisio'r cyfryw aelodaeth? A fedri di gadarnhau mai o lwyr awyddfryd calon am wybodaeth, a chyfle i wasanaethu dy gyd-ddyn y crefi am gael bod yn un o'r dyrfa lân ddiflino?'

Ceisiodd Jabulon sefyll a siarad ag osgo ac oslef wrywaidd.

'Gallaf,' oedd ei ateb dibetrus i rigmarôl moesol Teilydd y Gyfrinfa. 'Mae'r oll yn gysegredig.'

'Gweddus yw yn awr i mi dy orchymyn i ddiosg dy ddillad a'th fydolrwydd . . . '

Arswydodd Jabulon Jones.

' . . . fel na fydd namyn crys a llodrau'n gorchuddio dy babell o glai. Ymnoetha, os gweli di'n dda.'

Diolch i'r nefoedd! meddyliodd Jabulon, gyda pheth gollyngdod, *fydd dim rhaid i mi ddinoethi'n llwyr gerbron y sglyfath yma!*

Datododd ei gareiau a thynnu ei esgidiau, yna'i ddwy ardas a'i ddwy hosan. Datododd ei dei ddu a botymau ei grys gwyn. Tynnodd ei grys gwyn oddi amdano, er mwyn tynnu ei grys isaf gwlanen. Ailwisgodd ei grys gwyn.

'Pob darn o fetel, dyro i mi.'

Rhoed deg ceiniog ar hugain, allweddau car, wats aur, ffeil ewinedd, modrwy briodas a phin sgrifennu yn nwylo disgwylgar Cadifor. Rhoddodd yntau hwynt mewn bocs metal a chadw'r bocs yn ofalus. Rhoed sliper ddu am droed dde'r Ymgeisydd, gan orchymyn iddo sefyll ar gamfa-led â'i freichiau'n hongian o'i boptu.

Llithrodd Cadifor yn nes ato gan sefyll o'i flaen, wyneb yn wyneb, droedfedd yn unig oddi wrtho. Ceisiai Jabulon ei orau i anwybyddu arogleuon cryfion yr afftyr-shêf a'r gwrth-chwyswr oedd yn dew ar gorff y Teilydd, oll wedi eu cymysgu ag olion eneinio'r llinyn trôns o gorff â phob rhyw nard a myrr gwerthfawr. Deuai sgolan aflednais o halitosis chwisgi a sigârs o'i geg bob tro yr agorai hi.

Aeth ati'n ddeheuig â bysedd cain, megis llawfeddyg, i ddadfotymu crys gwyn Jabulon hyd at y botwm isaf, a thorchi'r llawes dde dros y penelin. Caeodd Jabulon ei lygaid yn dynn a chrychu'i drwyn wrth iddo deimlo llaw dde esgyrnog Cadifor a'i hewinedd culion miniog yn araf ymlwybro dros ei fron, o dan ei grys, a thros ei wegil, gan oedi'n fwriadol am eiliad neu ddau cyn tynnu'r crys yn ara' bach dros ei ysgwydd a'i adael i hongian yn llipa.

'Â'th fynwes chwith wedi ei dinoethni,' sibrydodd Cadifor a'i lygaid yn pefrio, gan araf benlinio a gadael i'w law lithro'n araf dros fynwes oer Jabulon Jones a'i thusw bychan o flew cynnes. Gwaredai hwnnw rhag ffieidd-dra awgrymog yr holl ddefod. Teimlodd ddwy law Cadifor yn ei anwesu'n raddol dros ei grwper, oedi ar ei forddwyd a llithro'n ogleisiol dros ei groth, cyn gorffwys ar ffêr ei goes dde.

Yn oraraf a gorfanwl, torchodd y Teilydd goes chwith y llodrau streipiog. Roedd yn amlwg yn ei fwynhau ei hun yn torchi coes wlanog y trôns llaes, gan adael penglin cannaid Jabulon yn noeth, ac yna loetran unwaith eto yng nghyffiniau unrhyw gnawd meddal y câi ei bump arno, yn arbennig clun yr Ymgeisydd druan. Erbyn hyn roedd hwnnw'n chwysu chwartiau.

'Coes dda,' oedd sylw beiddgar a di-chwaeth Cadifor.

'Gall mul gicio,' oedd ymateb hanner-cellweirus ac annodweddiadol o siarp Jabulon. Gollyngodd glamp o rech. 'Ydan ni'n barod rŵan?'

'Ddim yn hollol.' Aeth Cadifor at silff ym mhen pella'r ystafell. Gafaelodd mewn rhaff lled-drwchus, deirllath yn ei hyd, gyda chwlwm-rhedeg crefftus ar waelod ei dolen a'i gwnâi yn raff crogwr argyhoeddiadol.

Un fel hyn oedd gan Jwdas, Jwdas Iscariot meddyliodd Jabulon, tra oedd Cadifor yn ei gollwng yn araf dros ei ben ac am ei gorn gwddw, gan neidio ar bob cyfle i anwesu — yn ddamweiniol, wrth gwrs — glustiau, gên, gwddf, a gwegil y darpar-Saer crynedig. Gyda'r un arafwch defodol, yr un boddhad gwenerol, a chyffyrddiad, ble bynnag y byddai, a oedd yn fwy nag awgrymog, cwblhaodd Cadifor Efnisien Walters M.A. — 'CEW' i'w gydnabod dyddiau coleg — ei orchwylion erotig trwy roi mwgwd du trwchus dros lygaid ofnus Jabulon Jones Ll.B., yr Ymgeisydd am Radd Gyntaf crefydd unigryw Cyfrinfa Eryri.

'Dyfod y mae yr awr, ac yn awr y mae hi. Wyneb haul llygad goleuni . . . '

Offrymodd y Teilydd weddi sinistr mewn Cymraeg-gwneud annealladwy a diystyr. Bu'n rhefru am hydoedd, a thra safai yno, ar ganol llawr y stafell aros, yn wynebu wynebau cuchiog a bygythiol y '*Worshipful Masters — Past and Present,*' ond heb weld yr un ohonynt drwy ei fwgwd du, crwydrodd meddwl pŵl Jabulon Jones o fwrllwch trymaidd y *Snowdonia Lodge* i Laneilfyw y pumdegau a phlentyndod tywyll i'w ryfeddu ato mab y Bwlch Mawr.

7

Mae'n ddyddiau duon bach cyn y Nadolig, a theulu Bwlch Mawr yn closio at y tân i dreulio diwedydd arall. Yn hanner gorwedd yn ei gadair freichiau â'i goesau wedi'u croesi, mae gŵr y tŷ, ei ben yn gorffwys yn simsan ar siefl o law gorniog. Dylyfa ên a hepia dro, gan daflu ambell chwyrnad yn gyfeiliant amhersain i ddeuawd arswydus y gwynt a'r mwg sy'n cordeddu'n y simne. Mae wedi llwyr ymlâdd, wedi brwydro, oddi ar lasiad y bore, yn erbyn lluwchwyntoedd dialgar yr heth ar y ffriddoedd. Ond mae'r ddiadell bellach mewn hedd yn niddosrwydd cymharol corlannau'r gwastatir. Fydd fawr o flewyn arno pan ddeffry.

'Rho flocyn neu ddau ar y tân 'na, 'ngwas i, i sirioli tipyn ar yr aelwyd 'ma. Fel hyn y bydd hi, mae arna' i ofn, hyd nes y try awr fawr Calan.'

Gwena'r nain, a rhydd pob gewyn ar waith i ddirwyn y 'dafedd yn bellen dynn, tra ymafla Modryb Beca'n ffrwcslyd â'r cawdel gwlanog, fel pysgotwr yn dad-dorchi ei rwyd. Dyma ddiléit Sera, a deil ar bob cyfle i glecian ei gweill a chyfri'r pwythau. Tôn gron, yn anathema i'r teulu, ond iddi hi yn goron celfyddyd, 'Knit one . . . purl one . . . knit two together . . . ' *a'r gân yn gyfalaw undonog i synau hudolus traed meirwon y ddrycin. 'Dyddiau dyn sydd fel glaswelltyn . . . yn dirwyn i'w heithaf enbyd . . . pan fo isel sŵn y malu . . . a gostwng i lawr holl ferched cerdd . . . cyn torri y llinyn arian, a chyn torri y cawg aur, a chyn torri y piser gerllaw y ffynnon . . . nid oes i mi ddim diddanwch.'*

'Be haru ti, hogan, yn tin-droi efo rhyw hen feddylia gwirion. Digon i'r dwrnod 'i ddrwg 'i hun, ddeuda' i, a phell y bo unrhyw sôn am anga'. Ddaw yr un saer â'i bren mesur i'r tŷ yma, gobeithio. Dydi Beca Lewis Bwlch Mawr ddim cweit yn barod, thenciw, i dynnu ei thraed ati.'

Un annwyl, fel ei chwaer, ydi Beca, ond nid llawn mor fywiog. Mae ganddi ddigon i'w ddweud, a does fawr ddim yn dywyll iddi. Yn ei dydd, yn ôl pob sôn, bu'n llac ei lleferydd a'i moesau, a dyna pam, mewn gwirionedd, y bu'n rhaid i Abram Lewis briodi un o dylwyth brith Lot Wmffras, teiliwr rhyfedd Cae Cribin, a bodloni ar hynny.

Pan gafodd Beca dro ar ei byd, teimlodd ei bod yn rhywun, ac enillodd iddi ei hun y gair o fod yn wraig fawr, yn torri cŷt yn y capel ac ar Ladies' Night. *'Pry oddi ar gachu a hed ucha' oedd dyfarniad greddfol Sera, ac ni fu honno fawr o dro cyn torri crib gwraig fawr Bwlch Mawr, gan edliw iddi holl fisdimanars bwrdd y teiliwr. Aeth Sera i ben ei helynt, a Beca i'r siambar sorri. Ac felly y buont am flynyddoedd. Marwolaeth Abram Lewis gyfannodd y rhwyg.*

* * *

Plentyn swrth a dihyder ydi Jabulon Jones. Cyfeiria Modryb Beca'n aml ato, â dirmyg tosturiol, fel 'pwdin henaint â chrac yn ei grochan.' Honna i'w chwaer Martha, ar enedigaeth Jabulon, luchio'r babi a chadw'r brych.

Does ganddo fawr o'r dychymyg creadigol sy'n gyffredin i blant seithmlwydd oed, mwy na sydd ganddo, yn wir, o grebwyll cyffredinol. Yn y Cae Cefn Tŷ, tyndir caregog wrth sawdl y Ffridd Ganol, y myn dreulio'i oriau, ynghanol pentwr anferth o feini mawrion, a elwir, fel mewn nifer o ardaloedd yng Nghymru, yn Farclodiad y Gawres. Chwaraea'r Gawres a'i barclod ran allweddol ym mhrifiant hogyn dwl Bwlch Mawr. Llynca Jabulon, yn gwbl ddihalen, yr hen chwedl am farclod hud y Gawres Gwrga, ac am y trychinebau erchyll a ddaeth i ran ei holl elynion. Yno, yn stelcian fel ci lladd defaid, yng nghysgod y meini llwydion mud, gyda'r Eifl i'r gorllewin a'r Fenai a Môn i'r gogledd, a phanorama moelydd Eryri y tu cefn iddo, y treulia bnawniau hirion ei hafau unig.

Does ganddo neb yn gwmni iddo ond y Gawres Gwrga unllygeidiog sy'n ymddangos, yn achlysurol, fel angyles warcheidiol o'i chuddfannau tywyll i roi swcwr i hunandosturi affwysol enaid bychan clwyfus y Bwlch Mawr. Ambell dro ymrithia fel dyn, dro arall fel dynes; ambell dro yn anghynnes o hyll, dro arall cyn hardded â'r wawr. Byd fel'na ydi byd cyfyng Jabulon Jones, yn llawn cewri a phob rhyw ofergoel.

Ceidw ei gyfrinachau yn nwfn ei galon, a gwareda wrth feddwl beth fyddai adwaith coeglyd Modryb Beca i'w ddychmygion. Soniodd o erioed air wrth ei rieni ychwaith, am nad oes arno'r awydd lleiaf i ffoi o'i glydwch annaturiol i fyd real plant Llaneilfyw.

* * *

'Nid lle mab ydi rhoi ei fys ym mrwes ei dad.'
Pnawn Sadwrn gwlyb.
Salmon a Martha wedi picio i'r dref.
Nain a Modryb Beca'n gwarchod fel arfer.
Y ddwy yn pendwmpian o flaen y tân.
Bachgen dengmlwydd yn cicio'i sodlau.
Caiff ei hun yn llofft ei rieni.
Sbaena.
'Sgwn i be 'di'r cês bach du 'cw ar ben y wardrob?'
Symud pentwr o dronsiau glân.
I ben y gadair wiail ac estyn y cês bach du.
Llyfrau bychain cochion yn llawn print mân Saesneg.
Pâr o fenig gwynion.
Y ffedog ryfedda a welsoch chi 'rioed.
Sgwâr saer coed.
W.M. Solomon Jones.
Dirgelwch.
Rhoi'r cês bach du yn ôl ar ben y wardrob.
Rhoi'r tronsiau glân yn ôl ar y gadair wiail.
Rhyfeddu.
Pendroni.
Methu â deall.
Pethau a berthyn i'm tad . . .
'Pethau a berthyn i'm Tad . . .'

* * *

Nid yw Jabulon yn deall crefydd, yn arbennig crefydd ei dad. Mae crefydd yn rhywbeth mor od, mor anghyson, mor annheg, yn arddel yn gyhoeddus gredöau'r Llyfr Gweddi *a'r* Catecism *ar y naill law, ac ar y llall yn arddel, yn llechwraidd, ddefodau ecsentrig mewn teml anghyhoedd ym mherfeddion y dref. Ar y naill law yn sôn, o, mor ddidwyll, am gariad, goddefgarwch a chydraddoldeb, tra ar y llall yn gofalu'n gyson mai'r stôf, a'r sinc, a'r gwely, y tri hyn, fydd tiriogaeth dragwyddol y cyfryw gariad.*

'Angel pen ffordd, diawl pen pentan,' yw dyfarniad di-flewyn-ar-dafod Modryb Beca ar 'Nhad a'i fuchedd, yn ddieithriad. Ymateb Martha ydi ymroi'n ufudd i athroniaeth oleuedig ei harglwydd. Gwraig ydi gwraig ar bum cyfandir, a lle honno yn

ddigwestiwn, ydi dawnsio tendans i'w gŵr.

Ar fater priodas, tebyg at ei debyg ydi Salmon ac Ithel Robinson, ficer y plwyf. Gall yr olaf draethu'n ddiymhongar, o'i bulpud plu, ei genadwri fawr ar gydraddoldeb, a hynny gydag angerdd a didwylledd — a thoddion saim — sydd mor nodweddiadol o ddarpar-esgob-cum-bugail ac un o ddefaid y loj.

'Mae'n orchymyn ac yn addewid cysurlawn i bawb o bobl y byd . . . nid oes nac Iddew na Groegwr, nid oes na chaeth na rhydd, nid oes na gwryw na benyw, canys chwi oll ydych yng Nghrist Iesu . . .'

Wir, fe ddylsai hyn fod yn ddigon i Beca a'i thebyg lyncu eu geiriau'n edifeiriol. Ond arall ydi adwaith ffyrnig Huw Elias, gweinidog Carmel, aderyn drycin digyfaddawd o doriad ei fogail. Ni ddylid rhoi unrhyw sylw i'w fytheirio, a dysgir Jabulon, o'i grud, i beidio rhoi coel ar frygowthan cyfeiliornus Boanerges efengylaidd rhagfarnllyd. Ond dydi rhagfarnau Jabulon, er dirfawr siom i Salmon, gryfed â rhai ei dad. Yn wir, cred y bachgen fod yr Elias hwn, er iddo fod â'r gair garwa 'mlaen, yn ŵr addfwyn a phur agos i'w le. Gwisga'i grefydd, nid ar ei lawes, ond yn nwfn ei galon.

8

Hebryngwyd Jabulon at ddrws y Gyfrinfa gerllaw. Curodd y Teilydd, y *grandioso* Cadifor, arno. Yr ochr arall i'r drws, yn ddisgwylgar, safai'r Gwyliwr Mewnol, Henry Nelson Hughes, asiant bytholwyrdd y *Blessed Assurance* a'r *Masonic Mutual*, a sentri solat Seiri'r *Snowdonia*. Â'i feinlais awdurdodol galwodd,

'Ha, Deilydd, pwy sydd gyda thi?'

'Mr Jabulon Jones, Ymgeisydd tlawd a diymgeledd, yr hwn sy'n rhodio mewn tywyllwch. Fe'i argymhellwyd, mewn Cyfrinfa agored, fel un haeddiannol a theilwng i fod yn Ymgeisydd. Wele ef mwyach ger eich bron yn ewyllysgar, wedi ei ddarparu'n briodol, yn wylaidd-geisio mynediad i ddirgelion a breintiau y Gyfriniaeth Fawr.'

Agorwyd y drws, a chroesodd yr Ymgeisydd ei riniog, gan deimlo blaen bidog miniog y Gwyliwr Mewnol yn pwyso'n egar ar floneg-glasoed meddal ei frest chwith.

'A deimlwch chwi rywbeth?'

'Gwnaf.'

'Mr Jabulon Jones, fe'ch derbynnir i mewn i'r stafell gysegredig hon â min y bidog blaenllym hwn. Artaith i'ch cnawd yw'r bidog, a dylai eich atgoffa beunydd-beunos, ar boen eich cydwybod, o'r hyn fydd yn eich aros pe'ch temtir, rywdro, i ddatgelu cyfrinachau'r Frawdoliaeth.'

Cododd Henry Nelson Hughes y bidog blaenllym tua'r nef a swyddfa'r Pensaer ac yna gweiniodd y llafn gydag urddas archdderwyddol. Tywyswyd Jabulon, yn ei fwgwd a'i hanner noethni, o amgylch yr ystafell gan y Diacon Tudur Edmunds, gŵr oedd yn hen gyfarwydd â chamarwain pobl ddiniwed a hygoelus, taflu baw i'w llygaid, a'u dallu â'i addewidion ffuantus.

Namyn tricham fu hyd y parêd. Trawodd y Meistr Anrhydeddus ei bwlpud â'i forthwyl gydag awdurdod bron-ddwyfol, gan geryddu'r ddau bererin rhyfygus am gychwyn taith mor dyngedfennol heb yn gyntaf geisio bendith a nawdd y Pensaer Mawr Ei Hun.

Felly, ar ganol ei ddiofal gam, syfrdan y safodd Jabulon. Penliniodd. Llwybreiddiodd rhyfeddod prin y Diaconiaid o'i amgylch, yn croesi eu hudlathau uwch ei ben, a phorthi'n hwyliog weddi — nid o'r frest — daer a diffuant Caplan Anrhydeddus Cyfrinfa Eryri.

Hwn oedd y gwirioneddol Barchedig Ithel Robinson, Ficer Llaneilfyw, gŵr syber oedd â'i fryd ar ddyrchafiad i Gadair Esgob. Sylweddolodd, yn gynnar yn ei weinidogaeth, mai dileu'r gwasanaethau misol Cymraeg yn ei eglwys fyddai'r cam cyntaf at ddyrchafiad. Gwnaeth hynny mewn modd diplomataidd a gofalus, gyda chaniatâd yr esgob, trwy bledio bwriadau cenhadol brwdfrydig, a chariad Cristionogol, tuag at y dyrnaid o addolwyr a ymfudodd i'w blwyf o du hwnt i Glawdd Offa. Cenhadol? Ie'n wir, oblegid canfu yn fuan na welodd odid yr un ohonynt na changell nac allor erioed ac eithrio ar ymweliadau twristaidd â dinasoedd Ewrop efallai — cyn eu hymddeoliad i'w paradwys orllewinol. Byddai unrhyw fath o ymgysegriad eglwysig gan y wenoliaid stwrllyd dwyreiniol hyn yn hybu nod dyrchafol arferol mewnfudwyr powld o *'getting on, you know like, with the natives, I mean like.'*

Un o gerrig milltir anorfod ac anochel y llwybr cul i'r Gadeirlan oedd cymdeithas y Seiri Rhyddion, carreg a'i dygai gam yn nes at wireddu'r freuddwyd fawr. Teimlodd, ar ei ordeiniad i'r Gyfrinfa, yn lled anghysurus ynglŷn â diwinyddiaeth amheus y Frawdoliaeth, ond cyn gynted ag y daeth yn gyfarwydd â theithi meddwl yr aelodau, a sylweddoli beth yn union oedd gwir bwrpas defodau ymddangosiadol baganaidd y Deml, ynghyd â mynych giniawau y *Punchinello Arms*, ymgysegrodd yn llwyr, gorff ac enaid, i'w uchel-alwedigaeth fel Caplan Anrhydeddus. Yma caed sialens genhadol gynhwysfawr i ddwyn gwrywod byd a betws i gorlan Bugail oedd hefyd yn Bensaer ac yn Ŵr Busnes, a rhoi gwedd newydd a chyfareddol ar berthnasedd rhad ras i fyd oedd yn prysur fynd â'i ben iddo. Gallodd ymdeimlo o'r newydd â'r wefr o weld y Pensaer hwnnw yn bresennol yn oedfa ei adfyd, a godre'i wisg yn llenwi'r Deml.

Erbyn hyn canfu gysondeb rhyfeddol o eglur rhwng ei

uchel-eglwysyddiaeth hanner babyddol ef ei hun ac 'Efengyl' y Loj. Mae iddi dduw, ac allor, a beibl, ac uchelgais, esgobyddiaeth ac offeiriadaeth anffaeledig, a chwmwl tystion digyffelyb. Dyma benllanw eciwmeniaeth bur. Yn wir, eciwmeniaeth iach a diragfarn oedd y sbardun a'r sail i'w fynych weddïo cyhoeddus dros Holl Saint yr Oesoedd . . .

'Cymorth ni, Dad Hollalluog, Pen Llywodraethwr y Bydysawd, i weld o'r newydd ddirgelion dihenydd dy dduwdod, fel y bu i ti, yng nghyflawnder yr amser, eu datgelu i ninnau drwy *Osiris*, a thrwy *Esra*, a thrwy *William of Orange*, a thrwy *Ashmole*, a thrwy *George Washington*, a thrwy *Garibaldi*, a thrwy *Hiram Abiff*, a thrwy *Winston Spencer Churchill*, a thrwy *Sibelius, Sullivan* a *Sousa*, a thrwy *Wolfgang Amadeus Mozart* a *Joseph Haydn*, a thrwy *Oscar Wilde*, a thrwy'r *vesica piscis* a phob defod ryfeddol arall, a thrwy *Ronald Reagan*, a thrwy *Jack the Ripper*, a thrwy *Lord Widgery*, a thrwy ein siriol *Duke of Edinburgh* (Tad hynaws Dwyfol Dywysog Gwlad y Bryniau) a'n hanwylaf *Duke of Kent*, a thrwy *Iesu Grist* a thrwy . . . '

Bu ond y dim iddo ychwanegu enw Mair, ond cofiodd mai dynes oedd hi.

Doedd hi ddim yn syndod o gwbl fod Salmon Jones, er yn chwip o ragrithiwr ei hun, wedi ei hen ddadrithio gan grefydd ddauwynebog Ithel Robinson. Os bu ieuo diwinyddol anghymharus erioed, fe'i ceid yn daclus ym mherson a phregeth y periglor peryglus, uchelgeisiol a defosiynol hwn. Fe'i edmygodd unwaith, do, yn y modd yr hebryngodd long simsan y Bwlch Mawr, llong y trystiai'r tonnau trosti, drwy ddyfroedd tymhestlog y bedydd. Ond gyda gosteg y ddrycin, diflannodd swyn hudlath wlanennaidd meistr y ddefod, ac wrth wrando'n beiriannol o Sul i Sul ar fyrion bregethau cwyr y consurwr, disôn ymadawodd gweddillion yr edmygedd 'fel y niwl o afael nant'.

'Dyro, Dduw, dy nawdd; ac yn nawdd, nerth; ac yn nerth, deall; ac yn neall, gwybod; ac yng ngwybod, gwybod y cyfiawn; ac yng ngwybod y cyfiawn, ei garu; ac o garu, caru pob hanfod. Rho i ni'r sircrwydd bendigaid, Dad Hollalluog a Llywodraethwr Goruchaf y Bydysawd, dy fod yn bendithio'n hoedfa. Dyro, o oludoedd anchwiliadwy dy fawr ras achubol, i'r Ymgeisydd arbennig hwn gyflwyno a chysegru ei ddoniau a'i fywyd i'th was'naethu Di, a thrwy hynny fod yn Frawd teyrngar, ffyddlon a chynorthwyol yn ein plith.

O Dduw, diolchwn i Ti nad ydym ni fel y mae dynion eraill, yn drawsion, yn anghyfiawn, yn odinebwyr. Yr ydym ni yn degymu, nid yn unig y mintys a'r annis, ond cymaint oll ag a feddwn. Dysg dy was newydd i wneuthur yr un modd. Cynysgaedda ef â'th Ddoethineb Ddwyfol fel y gall, gyda chymorth cyfrinachau'r Frawdoliaeth Fawr, ddadlennu gogoniannau Gwir Dduwioldeb, er bythol glod a gogoniant i'th Enw Sanctaidd Di. Amen ac Amen.'

Yn naws ddiwygiadol y weddi daer hebryngwyd Jabulon yn ei fwgwd gerbron y Meistr Anrhydeddus, *Worshipful Master* Robert Daniel, cyfreithiwr mygedol Cyngor Eisteddfod Genedlaethol Frenhinol Cymru a Gorsedd Beirdd Ynys Prydain.

'Mr Jabulon Jones, ym mhob rhyw berygl ac argyfwng, pwy, meddech chwi, fydd eich tarian a'ch angor?'

'Duw Jehofa, y Pensaer Mawr.'

'Da was da a ffyddlon. Gosodwyd eich traed ar y graig sy'n dal. Codwch! Dilynwch eich arweinydd gyda hyder gostyngedig, canys ym mha argyfwng bynnag y b'och, dim ond i chwi alw ar enw'r Pensaer, ni fydd perygl i chwi.'

Cynorthwywyd Jabulon i godi ar ei draed, tra eisteddai'r Meistr a'r Brodyr ar eu clustogau esmwyth. Un trawiad ar y morthwyl oedd ddigon i dawelu'r lle.

'Atolwg, chwi Frodyr yn y ffydd, o'r gogledd, o'r dwyrain, o'r de, o'r gorllewin, o bedwar ban byd, bydded yn hysbys i chwi oll fod Mr Jabulon Jones ar fin cael ei arddangos ger eich bron fel person cwbl addas i'w dderbyn i'r Frawdoliaeth.'

Teimlai Jabulon ei hun fel asyn dall ar dennyn mewn cylch syrcas, neu dderwydd hygoelus a musgrell mewn cylch cerrig gorseddol. Daeth terfyn ar y gorymdeithio ac aed ag ef gerbron y Warden. Tarodd yr Ymgeisydd ysgwydd y Warden deirgwaith â'i law dde.

'Pwy sydd yna?'

'Mr Jabulon Jones, Ymgeisydd tlawd a diymgeledd, yr hwn sy'n rhodio . . . '

Cafwyd yr un rigmarôl plentynnaidd.

' . . . yn wylaidd geisio mynediad i ddirgelion a breintiau y Gyfriniaeth Fawr.'

'Sut y caffael y cyfryw freintiau?'

'Gyda chymorth y Pensaer Mawr.'

Cododd Robert Daniel, y Meistr Anrhydeddus, i annerch yr Ymgeisydd. Hawdd dweud ei fod yn aelod o'r Orsedd.

'Gofynnaf am atebion didwyll i'm cwestiynau syml. A ddarfu i chwi o'ch gwirfodd a'ch bodd gynnig eich hunan fel Ymgeisydd am ddirgelion a breintiau'r Frawdoliaeth, heb unrhyw bwysau gan neb ffrindiau na chydnabod, ac heb unrhyw gymhellion hunanol anheilwng.'

'Do.'

'A dyngwch chwi, felly, i chwi gael eich cymell gan opiniwn ffafriol o'r Sefydliad, gan awydd diffuant am wybodaeth, ac awydd cyffelyb i fod yn fwy gwasanaethgar tuag at eich cyd-ddyn?'

'Gwnaf.'

'Arweinied yr Ymgeisydd ar y Pedestl.'

Ar gyrraedd ohono'r Pedestl, gorchmynwyd Jabulon i sefyll â'i sodlau'n dynn, a'i draed yn ffurfio ongl sgwâr, ei droed chwith yn wynebu'r dwyrain a'i droed dde yn wynebu'r de.

Un cam byr ymlaen, gan ffurfio ongl sgwâr gyffelyb. Un cam mwy ymlaen, gan ffurfio ongl sgwâr gyffelyb.

Un cam mawr ymlaen, gan ffurfio ongl sgwâr gyffelyb. Safodd Jabulon, mor llipa â chadach llawr gwlyb, gerbron y Pedestl.

I'r chwith iddo cafodd gip ar wyneb cyfarwydd Jacob Lefiathan Pritchard, cyn-ysgolfeistr Llaneilfyw, ac un o genhedlaeth gyfan o ysgolfeistri a wisgodd fenig gwynion i hyrwyddo addysg eu plant a'u gyrfaoedd eu hunain.

Mae Jabulon yn ddisgybl yn ysgol pentref Llaneilfyw, ac yn nosbarth Mr Jacob Lefiathan Pritchard, yr ysgolfeistr. Hon yw ei flwyddyn olaf yn yr ysgol, blwyddyn dyngedfennol y Sgolarship.

Bydd Merfyn Glan'rafon ac Edith Dew yn siŵr o basio. Bydd Dawn Angel, Fron Olau a Dafydd hogyn Wili Peipiwr yn siŵr o fethu. Rhywle'n y canol, â'i obeithion yn simsanu fel y dynesa dydd yr arholiad, y diddrwg-didda Jabulon Jones, Bwlch Mawr. Y gwir amdani, ysywaeth, yw ei fod o'n nes o drwch Beibl at benglog gwag y Fron Olau nag at garrai esgidiau Edith Mary.

Gwawria dydd Gwener y Sgolarship, diwrnod mwll a thywyll, ac fe heidia'r ymgeiswyr i'r Sentral yn y dref. Mae Jabulon, druan bach, yn swp sâl. Rhaid stopio'r bws ddwywaith i'r efrydydd gael chwydu.

'Uwd, a thôst a marjarîn i frecwast,' ydi sylwebaeth ddyrchafol mab Glan'rafon ar y digwyddiad.

'Mi glywis i mam yn deud mai brecwast clagwydd fydda taid yn ei

leicio ora', beth bynnag 'di hwnnw.'
'Pryfed genwair a malwod.'
'Pry genwair hirdew, dwy falwan, a glasiad o ddŵr. Hi, hi.'
'Be wyddost ti am betha fel'na Edith Dew? Be wyddost ti am secs?'

Ymlaen yr ymlusga'r dwbwl decar, a'r criw yn ymdawelu'n raddol wrth nesu at ben y daith. A beth am Jabulon, sgolor Bwlch Mawr? 'Ngwas bach i. Cyfog gwag ddwywaith yn y bore, a gwaedlyn ar ôl cinio. Rhaid hepgor y lluosi a'r rhannu hir, heb sôn am dri chwarter y papurau iaith yn y pnawn. Gŵyr yr hen greadur fod ei obeithion academaidd bellach yn deilchion. Mae wedi methu'r sgolarship, ei arholiad cynta rioed.

Dychwela i Fwlch Mawr â gwedd y bîb arno. Teimla'i hun yn fethiant llwyr. Cryna yn ei sgidiau tra'n adrodd yr hanes torcalonnus uwchben ei grempog, gan ddisgwyl rhyferthwy o gyfeiriad pen y bwrdd.

Fe'i synnir. Gwêl wên sydd mor lydan â llidiart Ffridd Ganol yn lledu dros wyneb ei dad, a'r siefl o law gorniog yn ymhŵedd arno i neidio i'w arffed.

'Paid ti â phoeni, 'rhen frawd, paid ti â phoeni. Daw eto haul ar fryn, a thrwy drugaredd mi dy welwn ni di'n ddihangol eto, gei di weld.' Rhydd ei dad winc fawr, garedig, arno.

* * *

'Llwyddodd y canlynol i ennill lle yn Ysgol Ramadeg Creuwyrion . . . Merfyn Cadwaladr . . . Edith Mary Evans . . . Jabulon Jones . . .'

Mae'r plant yn syfrdan, a neb felly yn fwy na mab Salmon Jones. Lleda gwên chwareus dros wyneb y prifathro wrth iddo edrych yn foddhaus ar syndod Jabulon. Mae yntau, Jacob Lefiathan Pritchard, yn un o'r rheiny a rydd werth ar weddi, yn arbennig os dyrchefir y weddi honno oddi ar allor bwerus Cyfrinfa Eryri.

* * *

Edrychai Jabulon Jones Ll.B. fel gŵr wedi ei hypnoteiddio, ei feddwl ar chwâl ond yn ufudd i bob galwad, yn ymostwng i bob cais.

Fe â gŵr mawr yr Orsedd, Robert Daniel, rhagddo â'i rethreg, gan bwyso pob gair wrth iddo'u taranu o'i Gadair Ymadrodd.

'Fy mraint a'm dyletswydd yw datgan yn groyw fod Maswniaeth a Rhyddid yn gyfystyr, gan fod angen ewyllys rydd i ymofyn am ddirgelion y Frawdoliaeth gysegredig hon. Ei sylfaen, craig oesoedd ein bodolaeth, yw egwyddorion puraf duwioldeb a diweirdeb. Yn eiddo iddi mae breintiau digyffelyb a gwerthfawr, ac i sicrhau'r cyfryw freintiau i ddynion teilwng, ac i ddynion teilwng yn unig, rhaid wrth ymrwymiad o deyrngarwch. Carwn, *obiter dicta*, eich sicrhau nad oes yn yr ymrwymiadau hynny unrhyw beth sy'n anghyson â'ch dyletswyddau sifil, moesol a chrefyddol. A ydych felly, Jabulon Jones, yn fodlon tyngu llwon y Cyfamod Disigl, seiliedig ar yr egwyddorion a grybwyllais, a bod yn fodlon yfed y cwpan i'r gwaelod, er sicrhau cadw cyfrinachau a dirgelion yr unrhyw Gyfamod, nas torrir gan angau na'r bedd?'

'Ydwyf.'

Gorchmynnwyd Jabulon, oedd erbyn hyn fel oen i'r lladdfa yn llaw'r Meistr, i benlinio. Gafaelwyd yn ei law dde a'i gosod ar y Beibl oedd o'i flaen ar yr allor. Yn ei law aswy rhoddwyd cwmpas, gydag un o'r nodwyddau blaenllym i'w dal yn erbyn bron noeth yr Ymgeisydd. Yna daethpwyd at uchafbwynt y ddefod, gyda Jabulon Jones fesmereiddiedig a'i law ar Air Duw, yn tyngu llwon amlgymalog a bwriadol annealladwy y Cyfamod Disigl gerbron tyrfa lân Brodyr Cyfrinfa Eryri.

'Yr wyf fi yn tyngu, gyda'r difrifoldeb mwyaf, yng ngwyddfod Pensaer Goruchaf y Bydysawd, y bydd i mi, Jabulon Jones, gadw cyfrinachau a dirgelion y Frawdoliaeth fendigedig hon, pa rai a ddatgelwyd i mi cyn y noswaith hon, neu yn ystod y noswaith hon, neu a ddatgelir i mi yn y dyfodol, oddigerth i Frawd neu Frodyr dilys a chyfreithlon, ond nid iddynt hwythau ychwaith heb yn gyntaf dderbyn sicrwydd gan un o'r Brodyr dilys a chyfreithlon fod y cyfryw Frawd neu Frodyr yn teilyngu'r ymddiriedaeth arbennig honno.

'Ymhellach, atolwg, addawaf yn ddifrifol na fydd i mi sgrifennu'r cyfryw gyfrinachau, petai hynny mewn unrhyw fodd dan haul yn peryglu cyfrinachedd y cyfryw gelfyddyd gyfrinachol a'r dirgeledigaethau cuddiedig a berthyn i'r Frawdoliaeth fendigedig hon. Tyngaf lw difrifol, yn gwbl ymwybodol mai'r gosb am dorri'r cyfryw ymrwymiad fydd dim llai na hollti'm corn gwddf, rhwygo'm tafod o'i wraidd, a'm claddu ar ddistyll yn nhywod y môr, lle llifa'r môr ddwywaith y dydd, neu'r gosb effeithiol o'm gwarthnodi fel twyllwr bradwrus, llwyr amddifad o werthoedd moesol, a chwbl anheilwng i'm derbyn yn aelod o'r Gyfrinfa anrhydeddus hon, neu unrhyw Gyfrinfa arall o wyrda, Cyfrinfa a rydd fwy o fri ar deyrngarwch a dilychwinedd buchedd nag ar safle a chyfoeth. Cynorthwya fi, Dduw Jehofa, Duw Jacob, Duw Israel, i gadw'n ddi-sigl y Cyfamod hwn, yn wyneb haul llygad goleuni.'

Daeth yr oedfa wlithog i ben yn naws efengylaidd y Cyfamod Di-sigl. Cododd y gwaredigion i gyd-ganu emyn grasol Edward Jones, Maes-y-plwm, a'i ganu gydag arddeliad ac argyhoeddiad anghyffredin. Aeth yn wenfflam wrth i'r cantorion gwrywaidd — nifer ohonynt yn aelodau ffyddlon o Gôr Meibion yr Orffiws, Creuwyrion — daro ail ran ail linell yr ail bennill, y gorfoledd yn ffrydio'n iachusol o'u calonnau anhunanol, tra sylweddolent o'r newydd mai trwy ras, a gras yn unig, y daw elw:

'Cyfamod rhad o drefniad Un yn Dri,
Hen air y llw a droes yn elw i ni . . . '

Bellach, roedd yntau, Jabulon Jones Ll.B., Bwlch Mawr, Llaneilfyw, wedi croesi'r ffin, trwy fwlch yr argyhoeddiad, o farwolaeth i fywyd, o dywyllwch dudew i oleuni odiaeth, o unigrwydd i ryfeddol Gymdeithas y Pensaer, o garpiau disylw i ffedog addurnedig a menig gwynion. Roedd rŵan yn un o'r dyrfa lân nas gellir ei rhifo, tyrfa a ymdeithiai'n hyderus drwy Foab bywyd, â'i golygon gwrywaidd ar y man gwyn man draw, ar y wlad a lifeiriai o laeth a mêl.

9

'Gwraig! Dawn Angel! Bovril! Mae 'Nhad hefo mi!'

Helpodd Jabulon ei dad i dynnu ei gôt-fawr oddi amdano, a gosododd hi'n frysiog ar un o'r pegiau blêr oedd ar y wal yn nrws y gegin groes. Ymlusgodd Salmon Jones at y tân a gollwng ei hun i'r gadair freichiau oedd gyferbyn â chadair Jabulon. Lordiodd y penteulu yntau i'w orsedd.

'Trist iawn ar un wedd, 'ngwas i, trist iawn. Dyna ddiwedd heno ar fy ngyrfa innau fel aelod o Gyfrinfa Eryri,' meddai'r tad gyda goslef bruddaidd a llais bloesg, '*canys fy mab hwn oedd farw, ac a aeth yn fyw drachefn; ac efe a gollesid, ac a gaed*'. Chdi biau'r dyfodol, Jab, chdi a dy ddau hogyn, Winston a Thoby a beth bynnag arall ddaw o dy lwyna di. Fe gei di gymryd fy lle, a phwy a ŵyr, efallai y caf fyw eto, trwy ras y Pensaer Mawr, i dy weld yn esgyn i gadair y *Worshipful Master*. Pwy a ŵyr yntê, pwy a ŵyr?'

'Tewch â'ch rwdlian, 'nhad. Dydi naw a phedwar ugain ddim yn hen heddiw. Mi welith dyn iach fel chi'ch cant, gewch chi weld.'

'Dwn i ddim wir, dwn i ddim. Dydi'r hen galon 'ma ddim yn curo fel y bu hi, o bell ffordd, a dydw inna' ddim am fod yn faich arnoch chitha fel teulu. Rydw i'n ei chael hi'n anos bob dydd i godi o 'ngwely, er bod yr hen fynglo bach 'cw, rhaid cydnabod, yn lle digon dymunol ac yn hwylus dros ben. *'Myned sydd raid i minnau,'* medda hen Fardd Du y Betws, ac felly rydw inna'n teimlo hefyd.'

'*Myned sydd raid i minnau*' wir! Dyna fydda' i'n 'i ddeud bob tro fydda' i'n codi i fynd i biso,' atebodd Jabulon, gyda rhyw hiwmor anarferol, wrth geisio erlid y felan o galon yr hen ŵr. Bu ennyd o dawelwch, a'r tad a'r mab, fel ei gilydd, yn ail-fyw digwyddiadau'r noson yn eu meddyliau.

'*Gaiff o weld, yr hogyn gwirion iddo fo,*' meddyliodd Salmon rhyngddo ag ef ei hun. '*Gaiff o weld. Mae o'n ddigon twp i gredu bod drysa hawddfyd yn agor led y pen o'i flaen. Bydd yn rhaid iddo lyfu tina' fyrdd, a sieflio tunelli o geirch i sacha aelodau'r loj, cyn y dechreuith o dderbyn 'u ffafra' nhw. Pawb drosto'i hun ydi hi bob tro yn fan'no, a chynta'n y byd y dysgith o fod ei gyd-seiri mor hunanol ag ynta', os nad mwy felly, gora' oll. Ac am y defoda a'r rwtsh crefyddol, rhad arnyn nhw! Yn y loj wyddan nhw mo'r gwahaniaeth rhwng Duw a Phruns Charles a Siôn Corn. Anffyddwyr ydi 'u tri chwarter nhw, dim ond bod chwara capal wedi talu'n dda i rai ohonyn nhw. Be dwi haws ag agor fy hen geg. Waeth i mi fynd i'm bedd bellach yn actio rhan y Mesn Mawr 'run tamad. O! petasai'r loj ond yn rhoi rhyw chydig o hunanhydar i'r hogyn ll'wath 'ma. Mae o fel rhech dafad mewn potal. Felly y bu o erioed.'*

'Dyma chi, Taid. Panad o Fovril poeth. Mi rois i dalp o fenyn yn 'i lygad o i chi.'

'Diolch, 'nghariad i. Dew, Jab, mi gest ti wraig ardderchog yn hogan Jenat Fron Ola 'ma. Un dda 'di Dawn Angel am Fovril.'

Dydi hi'n dda i uffar o ddim arall, meddyliodd ei phriod, a'r gwerthfawrogiad o ddoniau ei wraig yn goferu o'i galon. *Yr unig beth y gellir ei ddweud o'i phlaid ydi ei bod hi'n gwbod be 'di be mewn morwyn — sinc, stôf a gwely — ac mi ddylai 'nhad, o bawb, gofio mai'r un peth oedd mam druan iddo fynta. Mae gan hon le i ddiolch, oes yn wir, fod rhywun o fy safon i wedi ei phriodi hi, a hitha ond yn ferch i Jenat Fron Ola, slwt fwya'r fro ers talwm, meddan nhw i mi. A dydi hi ddim ymysg y prydfertha o ferchaid dynion chwaith, ac mae hi mor dwp â phen rhaw. Dwi'n fodlon 'i chadw hi, ond iddi hitha gyflawni ei dyletswydda, a'u cyflawni nhw'n gwbwl ddi-gŵyn.'*

'A chofia di, 'ngwas i, ei pharchu hi fel y perchais inna' dy fam druan. Mi wn dy fod yn gneud hynny, chwarae teg i ti. Mor braf fyddai hi arna' inna' rŵan petai dy fam yma i gael rhannu plesera a gofidia hydref fy ngyrfa ddaearol hefo mi yng *Nghartref Melys* a bod yn gefn imi wrth dynnu at y terfyn. Ma' hi — a bendith ar ei henaid hi — mewn gwell lle, siŵr o fod. Ydi wir, ydi wir.'

Snwffiodd Salmon Jones rhyw fymryn lleia rioed o alar di-ddeigryn.

'Mae'r loj wedi bod yn foddion i'r twyllwr diawl loywi a pherffeithio ei grefft o ragrithio, beth bynnag. Mi fûm i am flynyddoedd yn credu ei fod o'n ddyn didwyll a gonast, yn gadarn ei farn a'i argyhoeddiad, ac yn ŵr oedd yn werth ei efelychu ym mhopeth a wnâi. Bellach, alla' i ond dweud ei bod hi'n hen bryd i'r diawl farw, a gadael i minna' fyw fy mywyd heb wrando arno'n mwydro. Pam na fyset ti wedi rhoi diferyn o stricnin ym Movril y cwdyn, Dawn Angel. Fi fasa piau'r lle 'ma

wedyn. Dim rhent na bwyd i'r swnyn.

'A diolch bod gen i fab i 'ngharu, a 'ngharu fel y dylai mab garu ei dad, gan gofio am bopeth gafodd o o'i ddwylo graslon. Dwn i ddim be faswn i yn 'i neud hebot ti bellach, Jabulon bach, na wn yn wir. Roedd heno'n goron ar flynyddoedd o abarth er dy fwyn — dy fagwraeth, dy ysgol, dy goleg, dy gamgymeriada lu, y cyfan 'di golygu abarth ariannol mawr i mi. Ond be 'di'r gost lle bo cariad? Rwyt ti rŵan yn cael cyfla i dalu'r gymwynas yn ôl i mi.'

Talu'r gymwynas ola' fyddai'n fy mhlesio i fwya, oedd ymateb y mab, wrtho'i hun. *Mi edliwiaist ti bob dima goch y delyn i mi, yr uffar, ac mi fuost yn fy ymliw hyd at syrffad pan o'n i yn yr ysgol ne' gartra o'r coleg, ac yn methu f'arholiada. Roedd pawb arall yn mwynhau 'u hunain, a finna' yn fa'ma yn sownd yn dy glem di. Fe gei di weld, 'rhen law! Fe gei di weld!*

'Tyrd, Jabulon, yfa dy Fovril. Mae Taid yn dechra pendwmpian. Dwi'n siŵr ei bod hi'n amser iddo'i throi hi am y cae sgwâr.'

Whiw! Mae angan ymennydd o ansawdd arbennig iawn i sylweddoli hynny. Diolch am wraig mor ddiawledig o ddeallus — mi fasa MENSA'n sgrechian i'w chael hi'n aelod, meddyliodd Jabulon, gan orffen ei ddiod a'i hwylio hi i fynd â'i dad adref i'r bynglo ym mhen draw'r buarth.

'Fe ddoi di 'mlaen yn iawn hefo Rhobat Danial, gei di weld. Mae o'n dy 'nabod di'n dda o'r dyddia y buost ti'n bwt o glarc iddo fo. Rydw inna' wedi sôn llawar amdanat ti ac am dy yrfa, hefo fo yn y loj o dro i dro. Glyna di wrth odra'i lodra fo, 'ngwas i. Mi elli neud yn waeth, coelia di fi.'

Nid yn amal mae Dani Boi yn gwisgo'i lodra! Dysgu dyn i hwrio a thwyllo, a throi pob diferyn o ddŵr i'w felin ei hun . . .

'A'r dyn o'r Sowth 'na, *Walters y Wasg,* hen foi clên os bu 'na un rioed. Dyn busnas a dyn diwylliedig. Fe all fod yn gefn mawr i ti.'

Wêl yr homo uffar mo 'nghefn i! Mae o'n beryg' bywyd!

'Dynion o'i fath o a Rhobat Danial sydd 'u hangan ar Gymru heddiw. Mae'r oes 'di newid, a hynny er gwaeth. Crefydd y Gwaredwr dan gabl, cybydd-dod yn rhemp, anfoesoldeb a thrythyllwch yn rhodresa'n bowld hyd strydoedd ein gwlad, a'n pobl ifainc yn troi 'u trwyna ar y gwerthoedd gora'. Be ddaw ohoni, dwn i ddim wir. Ond dyna fo, waeth un gair na chant. Waeth i mi heb a hewian yn fy hen ddyddia, dim ond cyfri'r bendithion dirifedi gafwyd ar fordaith bywyd, a gobeithio bod coron ar ben y daith hir honno. Diolch bod gen i grefydd a'm deil i'r lan, a phan ddaw y dydd a'r awr mi fydd Salmon Jones, Bwlch Mawr, yn 'i morio hi ar y môr o wydr.

'Rhyfedd na buaswn nawr
  Yn y fflamau,
Wedi cael fy nhorri i lawr
  Am fy meiau;
Am fy mod i heddiw'n fyw . . . '

Ac mi gei ditha', hen ragrithiwr ffals, deimlo'r fflama yn deifio blew dy din di. Fydd crefydd dy loj di'n da i affliw o ddim i ti bryd hynny.
'Dyma'ch côt chi, Taid, a rhowch y crafat 'ma'n dynn am eich gwddw. Mae hi'n gafa'l heno 'ma. Mi'ch gwelith Jabulon chi adra'n saff.'

'Diolch i ti Dawn Angel fach. Mor amheuthun ydi cael merch-yng-nghyfraith â'i thraed ar y ddaear, ac mor ofalus o'i theulu.'

'Dowch wir, 'nhad, fe'ch danfona' i chi i lawr i'r bynglo.'

Trodd Jabulon at Dawn Angel a sibrwd yn ei chlust. 'Dos ditha' i dy wely, 'rhen goes, a chofia roi'r botal ddŵr poeth yn y traed — f'ochor i. Mi fydda' i wedi fferru'n cyrradd yn ôl, dwi'n siŵr, a mi fydd 'y nhraed i fel cerrig. A phaid â syrthio i gysgu. Ti'n addo?'

Diflannodd y tad a'r mab i'r nos, a Dawn Angel ufudd hithau i wely oer llofft ffrynt Bwlch Mawr i ddisgwyl am ei phriod, gan dynghedu, rhyngddi ei hun a'r pedwar pared '*bod, pan ddêl, yn effro iawn*'.

Yn y cyfamser, mewn ffit hormonaidd, meddyliodd Jabulon yntau o ddifrif am bethau'r cnawd a daeth iddo atgofion am y dyddiau hynny pan glywodd ogla'i ddŵr am y tro cyntaf erioed.

Dau hogyn clên ydi Dafydd a Phaul, ond eu bod ill dau'n fwrddrwg. Dwyn 'fala, curo drysa, codi ffrogia genod a ballu. Hogia Ysgol Sul y capel, yn cael eu hanfon yno dan gochl magwraeth Gristionogol, tra'n palmantu'r ffordd i'w rhieni gael awran fach ddedwydd bnawn Sul yn c'nesu yng ngwely'r llofft ffrynt yn noethni'r gaeaf. Dydi'r hogia ddim llawn mor ffyddlon yn ystod pnawnia chwyslyd yr haf.

Nhw ydi'r tacla sy'n dysgu Jabulon i regi a dweud petha creulon am Iesu Grist. Mae nhw'n sbeitio blaenoriaid a gweinidogion ac athrawon a hen bobol a phobl ddim yn iawn. Nhw hefyd sy'n ei roi ar hwyl i chwarae Postman's Knock *a misdimanars budron cyffelyb yn 'Rallt*

Rhedyn Bwlch Mawr pan ddônt yno ar eu hald. Gofalant, yn fawrfrydig ddigon, mai cludo llythyrau i Edith Dew, a neb arall, ydi tynged anorfod Jabulon bob tro.

Rhybuddir ef rhagddynt yn gyson. 'Na rodia yng nghyngor yr annuwiolion.' Dyn duwiol ydi Salmon Jones, dyn duwiol a da. Bob amser yn llygad ei le, yn sicr ei sylfaen, yn ddidwyll ei ddaliadau, ac mor onest â'r geirchen. Fe dâl i'w fab wrando ar ei gynghorion doeth.

10

'. . . a dyna i ti sut y daeth Jabulon Jones Ll.B., Bwlch Mawr, gŵr y brydfertha o ferchaid daear ac angylion nef, yn aelod o Gyfrinfa Eryri yng Nghreuwyrion. Dyma noson all arwain at betha mawrion yn ein hanas ni fel teulu.'

'Fedar unrhyw un ddod yn aelod o'r Frawdoliaeth yma?'

'Dim ffiars! Gyrfod yn unig, ac ar ben hynny rhaid iddyn' nhw fod yn ddynion o safle, a chrebwyll, a safon foesol.'

'Pobol fel dy dad a chditha.'

'Yn hollol! Pobol fel fi a 'Nhad, pobol sy'n dallt be 'di be, ac sy'n dymuno cario croesa cyd-ddynion. Pobol hefo rwbath yn 'u penna'. Cofia di, dydi pawb yn y loj ddim fel fi a 'nhad. O, na. Mae 'na rai digon brith yn 'u plith nhw. Cymer *Walters y Wasg* fel enghraifft. Rydw i'n cofio'r uffar bach hwnnw yn y coleg yn Aberystwyth ac yn ei gofio fo fel un o'r penna bach mwya' fu yno rioed. Yn waeth na hynny, pansan, biligwdiwr ydi o. Homo! Homo mawr hefyd!'

'Homo? Taw sôn! Homo! A fynta wedi cael coleg hefyd?'

'O, paid ti â chael dy siomi, 'ngenath i. Tydi pawb ohonan ni sy' wedi cael coleg ddim o anghenrhaid yn gall nac yn werthfawr mewn cymdeithas. Mae 'na ffŵl ym mhob ffair. Mae 'na homo ym mhob coleg. A mwy nag un hefyd. Fedar pawb ddim bod yn ddilychwin ac yn ddibechod fel, dyweder, . . . wel, fel fi. Nid pawb fynn ddyrchafu'r safona ucha'. Nid pawb sy'n meddu'r galluoedd meddyliol angenrheidiol chwaith.'

'Fe fydda' i'n deud yn amal wrthyf fy hun, yn arbennig pan fyddi di yn f'atgoffa i, mor ffodus ydw i o gael gŵr galluog, gŵr *mor* alluog, un sydd wedi pasio'n uwch na phawb arall. Dydi rhywun fel *Walters y Wasg* yn neb ochr yn ochr â chdi, Jabulon. Ddeil o 'run gannwyll i ti.'

'Wel, mae'n sicr fod hynny'n wir — dyna mae pawb yn ei ddeud, beth bynnag. Dwi'n llawn sylweddoli, gyda phob gwyleidd-dra wrth gwrs, y rhoddwn i ddau dro am un iddo fo. Ond, rywsut neu'i gilydd, mae gan y cotsyn bach y gallu i stwffio'i glun i lefydd sy'n cyfri, yn arbennig yn y loj ac yn y Steddfod Genedlaethol. Roedd o'n ymffrostio heno ddwytha, medda 'Nhad, ei fod o'n un o feirniaid llên y Genedlaethol y flwyddyn nesa pan ddaw hi i Greuwyrion. Beth ydi 'i gymwystera fo, dyn a ŵyr! Y cwbwl ddweda' i ydi ei bod hi wedi mynd yn gythgam o fain arnyn nhw! Waeth 'ti ferchaid yn beirniadu 'run tamad!'

'Wnaeth o ddim ennill rywdro am sgwennu?'

'Do, yn un o steddfoda'r Sowth 'na, a pherthynas agos, agos iawn meddan nhw, i'w dad o'n beirniadu. Mi ddarllenodd ffrind i mi ei stori fer o yn y Cyfansoddiada. Rwtsh llwyr nad oedd neb yn ei ddeall. Stori ffantasi, medda Walters, a does neb i fod i ddallt peth felly. '*Llenyddiaeth y crach*' mae Jac Puw y sgwlyn yn galw'r peth, llenyddiaeth gan bobol na fedran nhw ddim sgwennu llenyddiaeth go iawn. Dydi 'u Cymraeg nhw ddim digon rhywiog, medda fo, a phur anamal y gwelir brawddeg hefo mwy na dwsin o eiria ynddi yn eu gweitha nhw. Maen nhw'n sgwennu Saesneg yn Gymraeg. 'Run fath â phobol yn cystadlu ar adrodd am yr unig reswm na fedran nhw ddim canu.'

'Ond mae'r gallu gan rywun fel *chdi*, Jabulon, i fod yn llenor a cherddor enwog, dwi'n siŵr o hynny. Mae'n hen bryd i ti dynnu dy winadd o'r blew a dangos i Walters a'i debyg be ydi be.'

'Eitha gwir, Dawn Angel, eitha gwir. Ond mi rydw i mor brysur rhwng fy ngwaith a phopeth — galw mawr am fy ngwasanaeth i fel twrna, fel y gwyddost — ac ar ôl heno mae'n debyg y bydd aeloda o'r Frawdoliaeth yn pwyso arna' i i swydd gyfrifol o fewn y loj, swydd a fydd yn arwain yn fuan at Orsadd y Mistar — a Gorsadd y Beirdd, gobeithio! Na, ma' canu yng Nghôr Meibion yr Orffiws yn ddigon o weithgaradd diwylliannol i mi. Ma' gen i ddigon o heyrn yn y tân, ac ma' gen i wraig a phlant i ofalu amdanyn nhw, a dydi fiw i mi esgeuluso fy nghyfrifoldeba fel tad a phriod. Rydw i'n dy garu di, a Winston a Thoby mewn ffordd wahanol wrth gwrs, ormod i hynny ddigwydd, 'mlodyn i, coelia di fi.'

Cymerodd Dawn Angel yr ychydig eiriau cariadus hyn fel caniatâd i glosio ato. Sodrodd ei hun yn ei gesail ac edrychodd i fyw ei lygaid. Daeth deigryn, deigryn llawenydd edmygedd pur, i'w llygaid hithau. Caeodd hwynt, a rhoddodd ei hun yn llwyr i flysiau cnawdol deufisol ei harglwydd.

* * *

Chysgodd Jabulon fawr y noswaith honno, er i Dawn Angel ei blesio'n gynddeiriog â'i champau carwriaethol. Teimlai rhyw gynhesrwydd anghyffredin yn ei galon tuag ati, er yn dal i ddirmygu ei thwpdra cynhenid.

Roedd hi, yn ddiarwybod iddi hi ei hun, wedi rhoi gwrtaith i'r had eisteddfodol yn ei galon (*megalomania* yw enw meddygol yr had hwnnw), had y gobeithiai ef fyddai'n esgor yn fuan ar awr fwya' 'i fywyd. Bu'n troi a throsi tan oriau mân y bore, yn gwau cynllun a edrychai ar y cychwyn yn ddim ond breuddwyd gwrach. Ond fel y tyfai grwndi Dawn Angel wrth ei ochr yn chwyrnu isel, felly hefyd y tyfai ei gynllwyn yntau i fod yn ddim llai na hoced fwya' beiddgar y ganrif. Bu am hydoedd cyn cysgu.

Yna, 'mhen hir a hwyr, yn union fel yn y dyddiau hynny yn ei blentyndod pan y'i plegid ef gefn nos gan lyngyr, syrthiodd i gwsg ysgafn gan ddyheu rhwng cwsg ag effro am weld toriad gwawr, a'r wawr honno'n olau a digwmwl.

* * *

Cododd Jabulon yn blygeiniol drannoeth ac aeth i lawr i'r dref yn gynt nag arfer. Un peth yn unig oedd ar ei feddwl ac amharai'r peth hwnnw'n ddirfawr ar y ffordd y gyrrai ei gar. Methai'n lân â rhoi ei feddwl ar na gwaith na phleser, a syrthiodd cyffro'r loj a llowcio llamsachus Dawn Angel y noswaith gynt i ebargofiant.

Rhaid fyddai cynllunio'r peth yn ofalus, yn dra gofalus. Byddai un llithriad yn drychineb, ac yn ddiwedd ar y mymryn parch oedd iddo eisoes yn nhref Creuwyrion. Gwyddai y byddai'n rhaid i *Walters y Wasg* fod yn rhan o'r cynllun, ac roedd bron yn siŵr iddo glywed mai brawd Harri Han'bag oedd un o'r ddau arall. Fe gâi'r wybodaeth angenrheidiol ganol y bore.

Byddai'n rhaid iddo wedyn grafu gwaelod pob casgen yn selerydd ei gof am ddyddiau coleg, ac edrych yn fanwl ar lyfr cyfrifon yr Orffiws, pan ddeuai hwnnw i'w feddiant ddechrau'r flwyddyn, i gadarnhau ei amheuon. O'r ddwy ffynhonnell gobeithiai gael digon o dystiolaeth i roi ei fwriadau ar waith. Roedd yn chwip o gynllun beiddgar, a chanmolodd ei hun yn hael am y fath ddyfeisgarwch athrylithgar. Os nad wyt gryf, bydd gyfrwys!

Yn hytrach na llymeitian coffi fel pob twrna arall am hanner awr wedi deg, aeth Jabulon i'r stryd a'i gwneud hi am y Siop Lyfrau. Gwell fyddai chwilio'n gyntaf am y llyfryn, ond o fethu ei ganfod, byddai'n rhaid gofyn amdano. Fodd bynnag, ni fu fawr o dro cyn rhoi ei balf arno. Talodd ei ddwybunt a chweugain yn ddiffwdan, hefo dim mwy na sylw ungair swta, ond cwrtais, am y tywydd. Rhuthrodd, fel gafr ar d'rana, yn ôl i'w swyddfa.

Ar ei ddesg roedd paned o de claear. Fe'i hyfodd ar ei thalcen yn ei gyffro, i roi lleithder ar lwnc oedd, erbyn hyn, cyn syched â nyth llygoden. Ni fu erioed yn un cryf ei nerfau. O flaen pob arholiad, mewn ysgol a choleg, byddai dau chwydiad o leia' yn rhan annatod o'i baratoad. Yr un modd ar ddigwyddiadau anghyffredin megis priodi a chladdu, geni plant neu ymuno â'r Seiri Rhyddion. A doedd heddiw ddim yn eithriad. Gweddïai y byddai nerfau o ddur ganddo i fynd â'r maen i'r wal yn hyn o beth. '*Gwell angau na chywilydd*', ymsonai'n grynedig wrth gofio un o ddywediadau stoc ei ddyddiau fel cenedlaetholwr coleg.

Â'i ddwylo yn crynu fel deilen, trodd y tudalennau'n ffrwcslyd. Fu cipddarllen, mwy na darllen, erioed yn un o'i gryfderau.

'*Alawon Gwerin . . . Bandiau Pres ("Bwm! Bwm! Bwm! Bwm! Bwm! Pwy sy'n taro ar y drwm? Robin Band, a Tal a Twm!") . . . Celf a Chrefft (gwaith rhieni ac athrawon yn Steddfod yr Urdd) . . . Cerdd Dant (Canu 'stumia ysgolion dwyieithog!) . . . Cerddoriaeth (iawn yn ei le) . . . Dawns . . . Drama . . . Dysgwyr (Difyr uffernol) . . . Llefaru ("Cachu ci a chachu cath, cachu mochyn jest 'run fath") . . . Llenyddiaeth!*' Syllodd fel un mewn breuddwyd. '*Cadifor Efnisien Walters M.A., Moses Hughes, Myfanwy Havana Trumper. Pum can punt. Chwyldro*'.

Eisteddodd yn ei gadair meri-go-rownd gan sychu'r chwys a fyrlymai o'i dalcen. Gwyddai y byddai ei sanau a cheseiliau ei grys yn drewi erbyn amser cinio. Ceisiodd ei orau ei adfeddiannu ei hun, a cherddodd o amgylch yr ystafell fel teigr mewn caets. Roedd wedi ei gynhyrfu'n lân, ac ni wyddai sut i ymddwyn dan y fath amgylchiadau.

Aeth dros y cynllun yn ofalus am yr eildro, gan bwyso a mesur yr holl bosibiliadau, gan gynnwys goblygiadau methiant. Gwyddai ei fod yn mentro'n rhyfygus a bod ei fusnes, hynny oedd o, enw da teulu Bwlch Mawr, ei aelodaeth o Gyfrinfa Eryri a Chlwb Golff Creuwyrion, oll yn y fantol, a bod gofyn iddo ymbwyllo a throedio mor ofalus ag y senga cath ar farwor. Nid dynion i chwarae â nhw oedd Cadifor a Harri Han'bag, ac wrth ystyried bod y mater yn fater o bwys cenedlaethol, daeth iasau o ofn ac amheuaeth ac aniscrwydd i'w feddiannu.

Cadwodd y llyfryn testunau yn ofalus yn ei gês lledr, a cheisiodd ymlacio. Rhaid cynllunio o ddifri' a chreu strategaeth ddi-fefl. Cododd y ffôn oddi ar ei glicied. Llyncodd ei faliwms. Caeodd ei lygaid yn dynn rhag i unrhyw beth amharu ar ei fyfyrdod.

Ac yno, yn nhawelwch ei swyddfa ddi-liw, y llonyddodd Jabulon Jones Ll.B. ac y crwydrodd ei feddwl drwy flynyddoedd diffaith ei yrfa gyfreithiol, i Ysgol Ramadeg Creuwyrion, ac yna i'r flwyddyn mil naw chwech wyth, ac i dref prifysgol ar lannau Bae Ceredigion. Yno, ynghanol rhialtwch a thrythyllwch bywyd myfyrwyr y cyfnod, y ceid yr allwedd i lwyddiant ei gynllun, a'r sail i'w holl siom a'i rwystredigaeth fileinig bresennol. Yno'n ddiamau roedd y bad â'i dygai'n ddihangol i'r man gwyn man draw, ac i'r wlad a lifeiriai o laeth a mêl.

11

Os crafodd unrhyw un ei ffordd i goleg prifysgol erioed, Jabulon Jones oedd hwnnw. Ni feddai ar y crebwyll, na'r doniau, na'r dyfalbarhâd, na'r awydd i fod yn llwyddiant academaidd, ac er mai gŵr di-ddysg oedd Salmon Bwlch Mawr, roedd hwnnw'n ddigon hirben i sylweddoli beth oedd hyd a lled a dyfnder galluoedd prin ei unig fab.

Wnâi o byth dragwyddol ffarmwr. Doedd dim tamaid o wytnwch yn perthyn iddo, a gwyddai ei rieni, o'r bore hwnnw yn Ebrill mil naw pedwar wyth, pan anadlodd y newydd-anedig gwantan ogla peli camffor llofft ffrynt Bwlch Mawr am y tro cyntaf, a chroesawu'r persawr hwnnw â chawod sumffonaidd o rechfeydd a sgrechfeydd annaearol, mai epil i'w fagu mewn wadin oedd yr Afagddu hwn i fod.

Roedd o'n rhy feddal i fod yn ffarmwr, yn rhy dwp i fod yn athro, yn rhy annuwiol i fod yn weinidog, ac yn rhy hygoelus i fod hyd yn oed yn blismon. Eto i gyd, roedd ynddo rhyw hen elfen dwyllodrus, rhyw hen awydd am bwysigrwydd anhaeddiannol, rhyw hen dan-dinrwydd cynhenid. Dyna, mae'n debyg, pam y'i cymhellwyd i fynd yn gyfreithiwr. Dyna, mae'n debyg, pam y penderfynodd Salmon Jones mai cyfreithiwr fyddai Jabulon ei fab. Ac roedd penderfyniad yn rhywbeth allweddol i'w lwyddiant. Nid penderfyniad y mab, sylwer, ond penderfyniad styfnig y tad.

Aeth y tad ati, megis pensaer â'i bensel, i gynllunio. Gwnaeth hynny heb ymgynghori ag undyn, a heb ymgynghori â'i fab. Gwyddai o brofiad mai ofer, yn yr achos hwn, fyddai ceisio perl ym mhen llyffant.

Mor rhyfedd, ac mor hwylus, yw Rhagluniaeth fawr y loj. Mae ei ffyrdd yn anchwiliadwy. Hi gafodd le i Jabulon yn Ysgol Ramadeg Creuwyrion, a hi, trwy ras Huw Foster y prifathro, fu'n fodd i ymorol bod yr ysgolhaig llai na chyffredin hwn yn dal ei dir yn y ffrwd uchaf gydol ei yrfa academaidd uwchradd. Trueni, mewn gwirionedd, na lwyddodd yr un rhagluniaeth i ddylanwadu, y tro cyntaf beth bynnag, ar haelioni marcwyr allanol y Lefel O, na chwaith, y tro cyntaf beth bynnag, ar haelioni marcwyr allanol y Lefel A. Mewn gair, roedd mab Bwlch Mawr yn fethiant yn yr ysgol, yn academaidd ac ym mhob ffordd arall.

Doedd o ddim yn boblogaidd hefo'i gyd-ddisgyblion na'i athrawon. Doedd ganddo ddim ffrindiau go iawn. Ei brif ddiléit yn ystod yr awr ginio fyddai stelcian, a sbecian rownd corneli, a rhedeg i achwyn. Daeth yn feistr ar ymarfer gweniaith ym mhresenoldeb athrawon. Ar yr wyneb, ymddangosai'n ddiddrwg-didda, y math o hogyn oedd yno bob amser, ond nad oedd neb yn sylwi arno. Mae yna un felly ym mhob dosbarth ysgol. Yn sicr, ni sylwodd yr un ferch arno, a'r agosaf a ddaeth erioed at unrhyw fath o lwyddiant carwriaethol oedd cael pinsio pen-glin flonegog Edith Dew ar y bws ysgol.

Byddai wedi bod wrth ei fodd petai unrhyw un, ie unrhyw un, o'r rhyw deg wedi dangos ond y rhithyn lleiaf o ddiddordeb ynddo. Blinid ef yn aml gan byliau llethol o gnawdolrwydd, ac aeth cyn belled â chredu ar un adeg fod yr athrawes gwnïo, Bronwen Parri, yn ei ffansïo. Collodd gwsg o'i phlegid, a mynych fyddai ei bidlenna-cefn-dosbarth ffantasïol pan blygai honno drosto i archwilio ei waith binca.

Cafodd y gair o fod yn '*hen ddyn budur*' cyn cyrraedd ei unfed pen-blwydd ar bymtheg. Ac nid heb reswm chwaith. Edrychai fel hen ddyn yn ei gôt fawr a'i fenig cid, yn cario ambarél pan lawiai, a fo oedd yr unig hogyn yn yr ysgol a wisgai drôns llaes, a hynny o Fedi hyd Fai. Ni fu erioed yn lladmerydd glanweithdra. Perffeithiodd y grefft o stwna tu ôl i gaead ei ddesg er mwyn pigo'i drwyn, a bwyta'r baw, ac er i'w rieni ei gymell i godi o'r bath, bob amser, pan fyddai eisiau gwneud dŵr arno, ni chydymffurfiodd Jabulon erioed â'u gorchymyn.

Pan ddeuai cyfnod yr arholiadau, fe'i cloid yn ei lofft gan rieni gobeithiol i swotio, a dyna pryd y byddai'r ysgolhaig ynddo ar ei fwyaf dyfeisgar. Hanner awr yn ceisio dysgu ei nodiadau bywydeg, a hanner awr â'i drwyn yn yr *Health and Efficiency*, cylchgrawn a ystyrid yn fudur a beiddgar gan blant y chwedegau cynnar, cylchgrawn noethlymunwyr du-a-gwyn tabŵ silff uchaf Mr W.H. Smith. Bu rhannu'r amser yn deg a darbodus, fe gredai, yn un o gryfderau ei strategaeth arholiadol.

Ysywaeth, fu'r bronnau a'r penolau noethion fawr o gysur na chymorth iddo pan safodd arholiadau y Cyd-Bwyllgor Addysg, a bu'n rhaid i'w dad ysgwyd llaw mewn ffordd gyfrin â'r prifathro, er cael yr hawl i'w fab dreulio blwyddyn arall yn y pumed dosbarth ac ailsefyll yr arholiadau. Crafodd trwyddynt ar ei ail gynnig. Yr un fu'r hanes yn y chweched dosbarth — y methu, yr ysgwyd llaw, trydedd flwyddyn, yr ailsefyll, a'r gwyrth-grafu trwodd.

Fe'i cafodd ei hun maes o law, trwy ryfedd wyrth, neu ryfeddach ffyrdd, yn fyfyriwr yn yr Adran Gyfraith, '*Law Department*', Coleg Prifysgol Cymru yn Aberystwyth. Erbyn hynny, roedd Jabulon Jones Bwlch Mawr yn ugain a hanner mlwydd oed.

* * *

Blasodd Jabulon ei ddiod feddwol cynta erioed ar y trên â'i cludai o Greuwyrion i Aberystwyth. Roedd yn rhaid newid trên yn Afon-wen, ac ymunodd yr efrydydd diniwed â haid o rapscaliwns profiadol o Lŷn ac Eifionydd, hwythau ar eu ffordd o stesion Pwllheli i'r Coleg ger y Lli. Yn gwmni iddynt caed llond crât o boteli brown-êl, ac ni fu'r criw fawr o dro cyn cymell Jabulon i'w swig cyntaf, y swig a fyddai, fel y rhybuddiasid ef gan ei dad cyn cychwyn, yn ei arwain i fethiant a distryw, a bywyd digysur ar balmant y dref.

Erbyn i'r trên gyrraedd Dyffryn Ardudwy, roedd wedi dysgu llinellau agoriadol *Avante Populo* yn bur ddeheuig, a phan arhosodd y trên am ychydig funududau yn y Bermo, gwelid Jabulon ddewr, ar anogaeth ei gyd-deithwyr a dylanwad rhyfeddol y brown-êl, yn gweiddi nerth esgyrn ei ben drwy'r ffenestr, ymadroddion bras ac aflednais am Saeson glannau Mawddach. Erbyn iddynt gyrraedd gorsaf fwyaf anhygyrch gwlad y menig gwynion, Cyffordd Ddyfi yn y Gymraeg a *Dovey Junction* yn unig iaith y *British Railways*, roedd y brown-êl wedi ymorol bod hwyliau, ac adenydd, y cwmni academaidd yn llawn gwynt. Welodd Jabulon erioed y fath orsaf ramantus. Dotiodd at y corsydd a'r llonyddwch diddiwedd, ac am y tro cyntaf yn ei fywyd rhoddodd glod a mawl i olygfeydd brwynog a dyfrllyd. Crochlefai'n huawdl ar Blatfform Dau yr orsaf fawreddog dros hawliau a buddiannau ei genedl orthrymedig a gweddill y criw yn tynnu arno gyda chanmoliaeth wenieithus.

Toc, gwelid mwg trên Aber yn cordeddu i'r asur o gyfeiriad Machynlleth, a mab sigledig y Bwlch Mawr yn ymestyn ei law yn awdurdodol i'w stopio. Ac fe stopiodd, i godi'r myfyrwyr gwirion i ran olaf eu hirdaith tua'u trigfan ger y lli. Dyna pryd y canfuwyd eu bod wedi gadael hynny o gwrw oedd ar ôl, yn y trên arall, a bod rhyw fynci ffodus, y foment honno, yn ei lowcian yn dalog ar ei ffordd drwy Faldwyn i'r Amwythig. Cafwyd cyfle i sobri, a phan duthiodd y gerbydres i mewn i orsaf Aberystwyth, cytunasant i gadw'r oed y noson honno, a chael meddwad go iawn, y bererindod i gychwyn yn yr *Angel*.

Brasgamodd Jabulon Jones yn hyderus tua'r Neuadd Gymraeg newydd, ei dad wedi ei dewis ar ei ran, nid o unrhyw gymhellion gwladgarol, ond am y credai na fyddai'r myfyrwyr Cymraeg yn hel diod na hel merched.

Stryffaglodd â'i baciau drwy strydoedd y dref a chyrhaeddodd yr hostel yn ddianaf. Teimlai'r sgolor ei ben yn hollti, a'i stumog yn codi'n raddol i'w lwnc, a daeth edifeirwch, yn gymysg â hiraeth, i'w galon wladaidd. Teimlai fel un a wasgarodd ei dda, gan fyw yn afradlon. O leia', gallai gysuro'i hun na fu'n rhaid iddo dalu yr un ddimai am ei afradlonedd. Cael a chael oedd hi i gyrraedd ei ystafell a charthu ei holl bechod yn swnllyd i'r sinc. Rhoddodd glo ar ei ddrws a llithrodd i'w wely, yn ei ddillad a'i esgidiau, gan addunedu mai byw yn sobor a darbodus fyddai ei ran am y tair blynedd â'i wynebai. Yna, â'i ben a'i gorff yn troi fel hwyliau melin wynt, llithrodd i gwsg anesmwyth gwely dieithr. Yn fuan rhochiai'n anwastad yng nghwmni'r Gawres Gwrga a'i hangylion. Anghofiodd am gysuron yr *Angel*. Cysgodd tan doriad y wawr. Ac felly y bu dydd cyntaf Jabulon Jones yn y Coleg ger y Lli. Cododd drannoeth yn gymaint llipryn ag erioed.

12

Ymddangosai fod myfyrwyr y Neuadd yn osgoi cwmni Jabulon, ac na chafwyd yn eu plith neb a fyddai'n dod yn gyfaill mynwesol iddo. Oddigerth un, efallai. Myfyriwr ymchwil ar ei flwyddyn gyntaf oedd Cadifor Efnisien Walters — a'r llythrenw CEW oedd llysenw mwys y myfyrwyr arno. Maes ei lafur oedd canu maswedd y bedwaredd ganrif ar ddeg a'r bymthegfed. Ymhyfrydai a gwirionai'n gnawdol yng nghynnwys pob cywydd ac englyn, gan orfodi'r myfyriwr diniwed o Laneilfyw i wrando'n ddiddeall a diymateb arno'n adrodd, â'i osgo a'i oslef wyrdröedig, dalpiau helaeth o'r cyfryw ddigrifwch.

Fe'i cafodd Jabulon ei hun yn rhannu bwrdd yn gyson â'r benywaidd hwn yn ffreutur y Neuadd, ac o dipyn i beth gorfodwyd arno gyfeillgarwch nad oedd, mewn gwirionedd, yn ei flysu rhyw lawer. Yn fuan, hudodd Cadifor ef i'w ystafell dan gochl awydd i'w gyflwyno i ganeuon swynol a didramgwydd Tony ac Aloma, ac i wyntyllu rhai materion gwleidyddol a ymwnâi â'r bwrlwm gwladgarol a nodweddai fywyd myfyrwyr y cyfnod.

'Coffi?'

'Ddim diolch. Te, os gwelwch chi'n dda.'

'Eli'r galon o big y tebot.'

'Y?'

'A sut yr ymgynefina ein hefrydydd gogleddawl â hoywfryd awyrgylch ein haddysgfan fadiainaidd gyfosodwyd â'r weilgi?'

Ychydig iawn o grebwyll a fyddai ei angen ar unrhyw fyfyriwr i sylweddoli'n syth fod y geiriau hyn o eiddo Cadifor wedi eu paratoi'n fwriadol, ymlaen llaw, ar gyfer creu yr argraff o fod y gŵr dysgedicaf a welodd unrhyw sefydliad addysgol erioed. Ymateb i'r gwrthwyneb, er dirfawr siom iddo, wnaeth Jabulon.

'Ro'n i'n ama' y baswn i'n cael traffath i'ch deall chi, bobol y Sowth. Ma'ch tafodiaith chi mor wahanol i'n tafodiaith ni.'

Cafodd ffuantrwydd Cadifor glec go annisgwyl, diolch i dwpdra Jabulon Jones.

'Darllen y gyfraith wyt ti felly? Pwnc sycha'r coleg yn ôl pob sôn, a dim ond pobl ymhongar fynn ymhél â'r peth. Llenyddiaeth ydi 'myd i, llenyddiaeth Gymrâg ar hyd y canrifoedd, o Aneurin hyd at Robert Williams Parry. Fe'm magwyd nid nepell o'r Tywyn yng Ngheredigion, lle bu Dafydd Nanmor yn canu cywydde mor goeth, ac roedd teulu Mam-gu, o ochr 'nhad, yn hannu o'r Penrhyn Coch ger y dref yma, lle trigai y Dafydd arall, '*bêr ei gywydd*' yntau. Felly, mi weli nad dyn annysgedig yw Cadifor Walters, a bod gofyn am alluoedd arbennig ar gyfer y *magnus opus* sydd ar y gweill gen i. A chofia hyn yn ogystal. Rwyf yr un mor hyddysg mewn llenyddiaeth Saesneg, ac wedi darllen bron y cyfan o nofelau Brontë ac Austen a Ruth Rendell. Diwylliant eang yw 'niwylliant i.'

Enwau'n unig oedd y llenorion hyn i Jabulon, yn arbennig y rhai Saesneg. Dau lyfr *Famous Five* rhyw Enid Blyton a *Dandy Annual* ei hosan Dolig oedd alffa ac omega ei gyfathrach ef â llenyddiaeth y Saeson.

'Nid pob dydd y caiff unrhyw Adran Gymraeg ym Mhrifysgol Cymru fyfyriwr mor alluog ac amlochrog â fi, er mai fi sy'n dweud hynny. 'Smo fi'n ymffrostio, cofia, ond dyw gradd dosbarth cynta ddim yn rhywbeth i'w diystyru, nac yw'n wir, yn enwedig yn Adran Gymrâg y coleg hwn eleni. Pam hynny, gofynni? Wel, mi ddweda' i wrthyt ti.

'Eleni, bydd yr Adran yn dod i sylw, nid yn unig Cymru gyfan, ond y Deyrnas gyfan, a'r byd cyfan. Eleni, bydd yn ein mysg gyffro nas gwelwyd ei gyffelyb erioed yn hanes Coleg Prifysgol Cymru, a bydd sylw pawb wedi ei hoelio ar Aberystwyth, ac yn bwysicach fyth, efallai, ar y Gymraeg a'i llenorion. Eleni fydd yr hoelen olaf yn arch y Llyfre Gleision. Eleni fydd blwyddyn y caethion i ganu, dydd Jiwbil yr hen genedl annwyl hon. Bydd eleni yn drobwynt godidog yn nheithi oriog ein hannwyl iaith, a bydd yr iaith urddasol honno wedi ei gwisgo mewn ysgarlad, ac yn ymdeithio'n dalog frenhinol ar hyd coridorau dysg. Sut hynny, gofynni, a phwy yw'r mab darogan a ddaw i waredu ei bobl o falltod dyddiau'r locust?'

Lloriwyd Jabulon gan arabedd y myfyriwr ymchwil, a chan ei wybodaeth anhygoel am feirdd Cymraeg a Saesneg.

Dyma beth ydi dyn gwybodus, meddyliodd, *dyn y gallai glynu wrtho fod o gymorth i mi gael fy nhraed 'danaf yn y lle 'ma, a dod i adnabod y bobol iawn, a chael fy nghydnabod am fy ngwerth am y tro cynta yn fy mywyd. Mae o hefyd, mae'n amlwg, yn ddyn sy'n caru Cymru a'r Gymraeg yn angerddol — rhywbeth y bûm i, rhad arna' i, yn euog o'i esgeuluso hyd yma.*

'Y Tywysog, ein Tywysog, Tywysog Cymru, olynydd teilwng Llywelyn. Mae e wedi dod yma, i'r Coleg ger y Lli, i ddysgu iaith ei gyndadau, a'n hiaith ninnau, er mwyn gwneud cyfiawnder â'i swydd fel cyfryngwr ac eiriolwr drosom pan y'i arwisgir yn swyddogol, maes o law, ar y cyntaf o Orffennaf, yn Dywysog i'r Cymry. Dyna ddydd o lawen chwedl fydd hwnnw, coelia di fi.

'Ond at hyn wy'n dod. Fe'm penodwyd i, Cadifor Efnisien Walters, i fod yn gydymaith iddo, yn siaperôn os mynni, tra bydd yma yn y coleg. Er gwaetha f'enw canol Mabinogaidd, a serch bod gan y Tywysog glustiau mwy na'r cyffredin, rhaid imi bwysleisio ei bod yn well gen i *frathu* clustiau na'u *torri* nhw. Do, fe sylweddolodd yr Awdurdodau fod angen rhywun call a theyrngar a chyfrifol i warchod y darpar frenin yn ystod ei oriau hamdden, rhywun a allai ymgomio ag o mewn Cymraeg syml, naturiol, bob-dydd, rhywun deallus a diwylliedig, a fyddai'n siŵr o ennyn serch a diddordeb ei Rasusaf tuag at hanes, ac iaith a llên ein cenedl. Fi, fel y gallaset ddychmygu, oedd y person mwyaf, yn wir yr unig berson, cymwys.'

Rhoddodd Jabulon ochenaid ddofn. Roedd wedi ei syfrdanu.

'Ac mae'r Tywysog yma yn y Coleg? Ac mae o'n dysgu Cymraeg?'

'Nid yn unig hynny, 'machgen i, ond mae o'n lletya yn y Neuadd hon, pan fydd e yn Aberystwyth. Ei stafell e yw'r stafell drws nesa i f'un i!'

Teimlodd Cadifor iddo greu argraff ddofn ar y llanc a eisteddai yn y gadair freichiau gyferbyn ag ef, a chododd oddi ar y gwely, gyda'r bwriad o ailferwi'r dŵr i gael paned arall. Oedodd ennyd wrth basio Jabulon, gan roi ei law ar ysgwydd ei wrandawr a'i gwasgu'n ysgafn.

'Efallai y cei dithau gyfle i gyfarfod â Siarl. Mae hynny'n dibynnu'n hollol at sut y down ni'n dau 'mlaen 'da'n gilydd. Byddai'r profiad, heb os, yn ddiwylliant i ti, ac yn rhywbeth i'w drysori weddill dy ddyddie. Cofia, mae e'n ŵr arbennig iawn, ac mae iddo ddiwylliant eang. Gŵr gwerth ei halen, a gwerth ei adnabod.'

Ni wyddai Jabulon sut i ymateb i'r fath addewid, na chwaith sut i ymateb i'r teimladau rhyfedd a gerddai ei gorff wrth i law fodrwyog Cadifor chwarae â'i wallt a'i glustiau. Eisteddodd yn stiff a llonydd fel delw ffenest siop ddillad neu ohebydd gwleidyddol S4C, gan geisio anwybyddu'r mwytha anghynnes. Trodd y myfyriwr ymchwil ato'n sydyn a'i wynebu.

'Oes gen ti gariad?'

Dychrynwyd Jabulon braidd, gan iddo ddechrau amau, 'mhen hir a hwyr, fod bwriadau amheus, os nad trythyll, ar droed gan Cadifor Efnisien Walters.

Cododd o'i eistedd.

'Oes,' atebodd, yn llawn panig ac anwiredd, 'mae gen i gariad — adra yn Llaneilfyw. Edith yw 'i henw hi, coblyn o slasan dinboeth.'

Gwelwodd gweflau Cadifor, a rhoddodd ei ddwy law ar ysgwyddau llipa Jabulon.

'Gwranda, 'machgen annwyl i. Cofia nad yn Llaneilfyw wyt ti nawr, ond mewn tref prifysgol, lle mae moese'n wahanol, lle mae pobol yn wahanol, lle mae arferion yn wahanol. Nid crefydd ein teidie sy'n llywodraethu fan hyn, ond rhyddid yr unigolyn i ddilyn y llwybre a fynn. Ma'r o's wedi newid, 'nghariad i, ma'r o's wedi newid. Aeth heibio'r hen amseroedd a'u diweirdeb honedig, a chyrhaeddodd gwawrddydd ein hoywder ni.'

Plethodd ei fysedd yn dynn yn ei gilydd am wegil Jabulon, a'i dynnu'n raddol ato. Edrychodd ym myw ei lygaid, a lledodd gwên fuddugoliaethus dros ei wyneb. Anadlodd yn gyflymach ac yn fwy hyglyw, a'r myfyriwr diniwed fel clwt yn ei ddwylo. Rhwbiodd ei fysedd yn dyner ar wegil ei ysglyfaeth a thu ôl i'w glustiau, a daeth rhyw grwndi rhyfedd o'i enau crynedig fel y nesâi ei wyneb at yr eiddo Jabulon. Erbyn hyn roedd y bysedd meinion wedi llithro i lawr i'r meingefn a'r crwpar, gan dynnu morddwydydd y ddau'n nes at ei gilydd, a'i gorff yn aflonyddu fwyfwy wrth rwbio yn erbyn cnawd llonydd y llall.

Yna gwawriodd ar Jabulon Jones fod Cadifor Efnisien Walters gyda'r bwriad, a hwnnw'n beryglus o agos, o'i dreisio'n ffiaidd.

Trodd y chwarae'n chwerw, ac yn unol â'r cyngor a glywodd gan Dafydd a Phaul ac eraill o hogia'r pentref, plannodd ei ben-glin yn gadarn yng ngafl galed y treisiwr trachwantus. Gyda bloedd arswydus, gollyngodd perchennog y gefynnau ei afael, a rhedodd Jabulon Jones nerth carnau o'r ystafell, wedi dychryn am ei fywyd, gan ei 'nelu hi am breswylfod y Warden.

* * *

Yng Ngholeg Aberystwyth y ceid yr unig Adran Gyfraith Prifysgol yng Nghymru gyfan. Ymffrostiai yn ei chynnyrch, ac fe'i breintiwyd â phresenoldeb myfyrwyr o bob cwr o'r byd, yn arbennig o Loegr, a rhoed iddi'r enw o fod yn eangfrydig a llydan ei gorwelion. Saesneg, wrth reswm, *Queen's English* yn ôl y rhesi diddiwedd o ysgrythurau'r Adran, yr *All England Law Reports*, oedd unig iaith y lle, o'i llyfrgell i'w darlithfa, o'i hathro i'w hysgrifenyddes. Wedi'r cyfan, rhaid oedd cadw safonau uchaf dysg. Saeson trahaus oedd y mwyafrif o'i myfyrwyr hefyd.

Ei thrigfan oedd tŷ teras trillawr a wynebai'r môr, pedwar drws i'r gogledd o gaffi Tsieinïaidd, ganllath o'r *Pier Grand Bingo*, a rhywbeth tebyg o Goleg Diwinyddol y Presbyteriaid (Calfinaidd gynt) Cymraeg.

Tair blynedd yn y fath le? Tair blynedd mewn academi glawstroffobaidd, oedd yn honni bod â nodweddion teuluol yn perthyn iddi, ond a lethid gan snobyddiaeth ac ymhongarwch Prydeinllyd. Hon oedd yr unig Adran yn yr holl goleg a orfodai ei myfyrwyr i wisgo gŵn mewn darlithoedd. Ystyrid traddodiad fel deddf, ond doedd dim cornel yn unman i Hywel Dda a'i ddeddfau goleuedig yn y traddodiad cysegredig hwnnw.

Yn gynnar iawn yn ei yrfa golegol cafodd Jabulon ei hun ar goll yn lân yn y fath le estron, a bu'r daith undydd dros afonydd Glaslyn a Mawddach i ddarlithfa barlyraidd yn gwrando ar draethiad, myngus ei ynganiad, ar y '*Great British Constitution*', yn fwy profedigaeth iddo nag a dybiasai erioed, ac yn dreth gyflawn, a mwy na hynny, ar ei adnoddau deallusol prin. Rhoddodd ei gas ar y lle o'r cychwyn cyntaf un. Syrthiodd llo Llaneilfyw ar ei wyneb i gors diflastod ac anobaith, a suddodd o ddydd i ddydd, ac o wythnos i wythnos, yn nrewdod ei merddwr a'i gwrthuni. Ddeallodd o erioed ystyr y geiriau *Tort, Equity* a *Jurisprudence*, heb sôn am eu cynnwys, ac adlewyrchid hynny â chysondeb rhyfeddol yn nhrafodaethau pob seminar, ac yng nghynnwys pob un o'i draethodau hanner ochr ffwlscap.

Daeth mab Bwlch Mawr unwaith yn rhagor, fel yn nyddiau'r Ysgol Ramadeg, yn gyff gwawd ei gyd-fyfyrwyr, ond gyda'r gwahaniaeth y tro hwn mai Saeson oedd ucha'u clychau sbeitlyd. Canfu Jabulon druan y gallai Saeson wawdio â gair a gweithred dihafal eu cyrhaeddiad, ac nid yn unig dynnu ei lygaid o'r gwraidd, ond rhoi tro neu ddau i'r gyllell hefyd, a phoeri i'r tyllau.

Aeth ei ymdrech academaidd yn ffliwt, ac yn fuan gwelid cadair wag mewn darlith a seminar. Cafodd y ffliw, ffliw cyfleus, adeg arholiadau diwedd tymor, a phan ddaeth yr arholiadau diwedd blwyddyn â'u poenau nerfol i blagio poblogaeth yr holl adran, a'r holl goleg, roedd Jabulon wedi hen benderfynu ble i roi'r ffidil.

Arall oedd bwriad ei dad yn Llaneilfyw. Roedd gobaith eto i'r mab, ac wrth i'r tad wrando un bore Sul gwanwynol o Fai ar ddarlleniad dioslef y Parchedig Ithel Robinson o'r bymthegfed bennod o Efengyl Luc, trefnwyd ffordd ymwared i gael y mab hwn, a fu gynt yn academaidd farw, yn fyw drachefn.

Drannoeth, gwelid Salmon Jones yn camu'n bwyllog oddi ar y trên ddau ar blatfform gorsaf Aberystwyth, a chês bach du dan ei gesail. Toc, eisteddai mewn tacsi a'i cludai i goleg y dref ac i ystafell fechan dywyll ym mherfeddion y coleg hwnnw. Ysgydwodd deuddyn ddwylo, a diolchodd Salmon, wrth i'r trên duthio'n ôl i'r gogledd, fod Cymru fach, '*Cymru lân, Cymru lonydd*', o hyd, bendith arni, yn wlad y menig gwynion.

13

Rhyw ymhél yn unig, a gogor-droi yn y cefndir a wnaeth Jabulon Jones gyda brwydr yr iaith tra bu yn y coleg. Yn nwfn ei galon, roedd mewn llawn gydymdeimlad â gobeithion a dyheadau ei gyd-fyfyrwyr, a bu droeon gyda hwy ar brotestiadau Cymdeithas yr Iaith. Ond yng nghefn y dyrfa y carai fod — bob amser. Fentrodd o ddim pellach na sêt y pechaduriaid. Ei gri gyhoeddus oedd '*Gwell angau na chywilydd*', ond ei gred breifat oedd '*Iacha'i groen, croen cachgi*'.

Rhwng dyfodiad ac arwisgiad tywysog estron, a rhoi lliwiau newydd i arwyddion ffyrdd, cafodd y cenedlaetholwyr hwyl gwleidyddol anarferol. Y ddeubeth hyn oedd testunau pob sgwrs Gymraeg yn y lle, boed yng nghyfarfodydd Y Geltaidd, wrth gownter Siop y Pethe, yn llofft yr *Home Café*, neu wrth far *Y Cŵps*.

A phan dywyllai'r caddug y Mynydd Bach a Phumlumon, gwelid modurgadau morgrugaidd yn heidio ar hyd ffyrdd gwledig Ceredigion yn cario paent a phaentwyr i'r ardaloedd mwyaf anghysbell. Yno, gefn trymedd nos, gweddnewidiwyd rhai o fwynderau gweledol cefn gwlad, a'r blaid werdd hon yn ymorchestu yng ngheinder ei dawn gelfyddydol. Ar yr ychydig droeon y bu Jabulon ar bererindod noson o'r fath, dal y pot fu ei unig orchwyl, fel sydd weddus i un a gâr yr encilion.

Un peth oedd arwyddion ffyrdd, peth arall oedd herio'r frenhiniaeth. Y gleision oedd gwarchodwyr y naill, ond yr *M15* a'r *SAS* oedd gwarchodwyr y llall. Gweithredai'r naill ar y llwyfan, a'r llall tu ôl i'r llenni.

Rhaid oedd i'r naill barchu hawliau a chyfraith, tra nad oedd yn rhaid i'r llall barchu neb na dim. Yn Aberystwyth ei hun daeth uchafbwynt i'r holl brotestio rhyw fis cyn yr arwisgo yng Nghaernarfon. Daeth Eisteddfod Genedlaethol Urdd Gobaith Cymru i'r dref.

Ceid Adran o'r Urdd ym mhentref Llaneilfyw, ond ni

chymerodd Jabulon fawr o ddiddordeb yn ei gweithgareddau. Cantorion ac adroddwyr oedd y plant a gâi'r sylw, fel yn y mwyafrif llethol o Adrannau'r Urdd ledled Cymru, a doedd gan fab Bwlch Mawr ddim rhyw lawer o dalent na diddordeb yn y meysydd hynny. Iddo fo, fel i'r mwyafrif o blant Cymru, roedd Adran yr Urdd yn gyfystyr ag Eisteddfod yr Urdd, ac oherwydd hynny prin iawn fu ei gyfathrach â hi.

Wedi dod ohono i'r coleg, clywodd fwy am Urdd Gobaith Cymru. Clywodd fel y bu i olygydd *Llais y Lli*, misolyn Cymraeg y myfyrwyr, gael ei fygwth ag achos enllib am feiddio beirniadu'r mudiad ar dudalennau'r papur. Mae'n amlwg na chlywodd golygydd diniwed y papur hwnnw erioed am hunangyfiawnder cenedlaethol. Clywodd Jabulon hefyd fel y bu i lywydd cenedlaethol y mudiad, Marchog o fri, fynd ar gefn ei geffyl gan ymosod yn chwyrn ar garcharorion yr iaith oddi ar lwyfan prifwyl Caergybi rhyw dair blynedd ynghynt. Clywodd fel yr oedd rhai o bobl bwysicaf y mudiad wedi derbyn yn llawen a hynod ddiolchgar anrhydeddau brenhinol yr Ymerodraeth Brydeinig. Ac fe glywodd fod hierarchiaeth y mudiad wedi derbyn y gwahoddiad i ymgreinio'n swyddogol gerbon yr ymhonnwr, a'i fam, a'i osgordd, yng nghastell Caernarfon ar y dydd cyntaf o Orffennaf y flwyddyn honno.

Yn goron ar y cyfan, clywodd fod Siarl wedi ei wahodd i annerch oddi ar lwyfan Prifwyl yr Urdd oedd i'w chynnal cwta fis cyn y sbloets ym mhrifddinas Gwynedd, a bod y myfyrwyr, ac eraill, am roi '*Croeso Chwe Deg Nain*' go iawn i'r darpar frenin a'i gynffonwyr.

O Laneilfyw daeth newyddion llawer iawn mwy calonogol. Penderfynodd Buddug Elias, gwraig y gweinidog ac arweinydd Adran yr Urdd yn y pentref, anfon protest gref i bencadlys y mudiad, protest a ymbiliai am ronyn bach rhagor o wladgarwch a glynu wrth egwyddorion. '*Cymru, Cyd-ddyn, Crist, wir*', taranai ei llythyr, nes crynu Ffordd Llanbadarn, '*a ninnau, ym mhentrefi Cymru benbaladr, wedi gwisgo'r ewin at y byw gydol y blynyddoedd i feithrin rhywfaint o gariad at eu gwlad, a'u hiaith, a'u hanes, yng nghalonnau ein plant. Rhad arnoch chi, gorgwn rhech . . .*' gan barhau â'i thruth mewn arddull flodeuog na weddai, yn nhyb chwilys y pencadlys, i wraig gweinidog, yn arbennig gweinidog efengylaidd, nac arweinydd Adran.

Tynnodd Buddug hefyd eu sylw at achos seindorf bres Yr Hendref, pentref a swatiai rhwng môr a mynydd rhyw naw milltir o Laneilfyw. Pan ddaeth gwahoddiad i'r bandwyr ymuno yn rhialtwch y syrcas frenhinol yng Nghaernarfon, yr unig atebiad oedd dau fys fforchiog a chorws o regfeydd lliwgar Cymraeg. Ceid mwy o gariad at Gymru, meddai, mewn un sleid trombôn band pentref yng Ngwynedd nag yn holl sêt fawr ymgreingar mudiad a honnai ei fod yn cynrychioli ieuenctid Cymru ar ei orau.

Achosodd y fath gyhuddiadau — a rhagor — gryn gynnwrf ymysg pedlerwyr gwaseidd-dra Ffordd Llanbadarn, a chafwyd ton ar ôl ton o gynddaredd o du gweithwyr distadl y mudiad ledled y wlad. Aeth yr un llythyr yn ddau, a'r ddau yn gant, a gwnaed melin ac eglwys o'r sarhad cenedlaethol.

Galwyd yn groch am ddiddymu'r penderfyniad cyfoglyd i wahodd Siarl Windsor i'r Eisteddfod, a galwyd, yr un mor groch, am ymddiswyddiadau pobl y tybid eu bod yn gyfrifol am y fath wrthuni taeog.

Styfnigrwydd rhonc yr arweinyddiaeth ymhongar, a brad cyffelyb o du Gorsedd y Beirdd a'r Eisteddfod Genedlaethol Frenhinol, gariodd y dydd. Roedd croeso mawr yn disgwyl yr Ymhonnwr i'r Ŵyl, a chroeso mwy i'w anerchiad Cymraeg caboledig. Wedi'r cyfan, i'n coleg ni yma yn Aberystwyth yr oedd y diolch fod gennym fel cenedl, wedi'r maith ganrifoedd tywyll, brins diwylliedig ac amlieithog, un a garai, nid yn unig ei phobl, ond hefyd ei llên a'i hiaith a holl gyfoeth ei hetifeddiaeth odidog.

Methodd aelodau Cymdeithas yr Iaith yn y coleg, a thrwy Gymru yn wir, â rhannu brwdfrydedd nodweddiadol wasaidd ac ymerodrol Ffordd Llanbadarn, ac aed ati'n ddiymdroi i hogi arfau'r croeso arfaethedig. Lluniwyd slogannau byrion ac i bwrpas, a'r gymhariaeth â 1282 a thrychineb Cilmeri yn amlwg arnynt.

Ynghanol y cynllwynio yn rhywle, roedd y gwron Jabulon Jones. Tybiodd fod yma gyfle iddo ddangos rhyw fymryn o wrhydri gwladgarol, lle gynt y bu mor ddisylw a di-fflach, a chollodd gwsg wrth geisio meddwl am eiriau trawiadol i luman a fyddai'n herio'r tyrfaoedd taeog. Penderfynodd, wedi maith fyfyrio, ar eiriad chwyldroadol, ar eiriad a fyddai'n cynddeiriogi cynffonwyr cenedl o gachgwn. Sisyrnodd ei ffordd drwy hen gynfas gwely, ac â llaw a grynai gan gyffro, lluniodd ei slogan gryno, slogan oedd, yn ei farn ef, ac o bosib ei farn ef yn unig, yn gyforiog o hiwmor ac yn llwythog o ystyron gwleidyddol:

Carlo — Ci Rhech!

Pwdl Pidlannog!

Byddai ymddangosiad y gynfas wen yn sicr o'i osod ar wastad dyrchafedig ymysg ei gyd-brotestwyr. Â'i graffter nodedig arferol, sylweddolodd Jabulon y byddai'n rheidrwydd arno gadw'r cynnwys yn gyfrinach hyd ddydd yr Ymweliad Brenhinol.

Methodd trefnwyr yr Eisteddfod â chael unrhyw achlust o'r hyn oedd yn yr arfaeth. Roeddent wedi mopio'n lân â'r grasusau mawrion a ddaeth i'w rhan, a gwelid hynny'n eglur ar wynebau siriol a breintiedig yr archangylion a feddiannai seddau blaen y babell ddrafftiog. Caed yno feiri a blygai dan bwysau eu cyfrifoldebau a'u cadwyni aur, a chadeiryddion rhwysgfawr anllythrennog, a nifer sylweddol ohonynt, os nad y cyfan, yn bobl na chodasant fys bach erioed i gynorthwyo'r Urdd na'r Gymraeg mewn byd na betws, ac na fu un baw diwylliannol erioed dan ewinedd yr un ohonynt.

Cafodd y protestwyr fod rhyw ffawd ryfedd o'u tu. Gyda chymorth dychymyg cynllwyngar siopwr llyfrau o'r dref, a beiddgarwch glöwr cyfrwys o Sir Gâr, sicrhawyd seddau annisgwyl, yr ail res o'r ffrynt, ar gyfer y llumanwyr torfol, ac eisteddasant yno'n ufudd a disgwylgar.

Fodd bynnag, doedd dim lle i bawb ohonynt yn y fan honno, a chafodd Jabulon a'i gynfas fentrus, chwyldroadol, gan mai yng nghwt yr osgordd wrthryfelgar y daeth i mewn i'r ffau, le yn agos i'r cefn, yn eistedd wrth ochr pladras o ddynes ganol oed dew, gwep hyll yr hon oedd yn ddrych o lawenydd eisteddfodol Cymreig. Hongiai ei chluniau blonegog dros ymylon ei chadair, gan gyfyngu'n sylweddol ar bosibiliadau protestiol arfaethedig ein gwladgarwr gwrol. Ar y dde iddo, eisteddai gŵr ifanc blêr ei olwg, ei fop o wallt coch yn gagla', a'i locsyn llaes heb weld na chrib na siswrn ers misoedd, os nad blynyddoedd. Gwisgai'n wahanol i bawb arall hefyd, ac roedd oglau nionod yn drwm ar ei wynt.

'Diwrnod pwysig heddiw, brawd.'

Trodd Jabulon ei ben ato, a dychrynodd braidd gan dreiddgarwch y llygaid gleision. Tybed ai un o'r heddlu cudd oedd hwn? Swniai Cymraeg y dyn yn od hefyd, yn debyg iawn i Gymraeg plismon.

'Pwysig iawn — i rai,' sibrydodd Jabulon yn awgrymog, heb ddatgelu gormod o'r cynnwrf a gynyddai yn ei goluddion wrth i awr y brotest agosáu.

'Bom, nid malu cachu!'

'Y? Be ddeudsoch chi?'

'Wyt ti'n byddar, brawd? Bom, nid malu cachu!'

'Shhhh . . . Byddwch ddistaw, ddyn,' sibrydodd y wraig dew, hyll, gan felltennu â'i llygaid.

Daeth rhyw ofn i feddiannu calon y protestiwr a eisteddai rhyngddynt. Pwy gebyst oedd y dyn barfog yma â'i ebychiad eithafol?

'Pam ti yma, brawd? Gweiddi *Hip-Hip* i tywysog Saeson?'

'Dim ffiars o beryg! Mae'n gwilydd ei fod o wedi cael gwadd yma'n y lle cynta.'

'Yn hollol!' Taranodd drachefn. 'Bom, nid malu cachu!'

'Cymro ydach chi, 'ta dysgwr?'

'Llydäwr yn dysgu iaith ei Brodyr Celtaidd.'

'Tewch â sôn, da chi!' er nad oedd gan Jabulon y syniad lleiaf beth oedd Llydäwr chwaith. Credodd erioed mai Ffrancwr oedd bob un Joni Nionod a ddeuai i ddrws Bwlch Mawr ym misoedd y gaeaf.

'Mae gynnoch chi grap da ar yr iaith, ma'n rhaid deud. Dydi'r Gymraeg ddim yn iaith hawdd i'w dysgu.'

'Mae hi o'r un gwraidd â iaith fi, Llydaweg. Ni'n perthyn yn agos i'n gilydd.'

'Ydan, yn tydan, mi rydan ni hefyd, wedi meddwl. Deudwch i mi, gweithio yng Nghymru ydach chi, 'ta yma ar eich gwylia?'

'Gweithio yn y Llyfrgell Cenedlaethol Cymru am blwyddyn . . . '

Lle mae fan'no, tybed? meddyliodd Jabulon.

' . . . er mwyn glo . . . glow . . . gloywi fy Cymraeg.'

''Dach chi'n swnio'n eitha da i mi beth bynnag. Yn y Coleg dwi, yn astudio'r gyfraith.'

'Cyfraith y Sais! A cyfraith y twpsyn tywysog a'i mam. Mae eisiau i rhywun gweiddi hynny dros y gwlad.'

'Mae 'na gyfle i chi wneud hynny heddiw.'

'Shhhh . . . caewch eich cegau, wnewch chi. Mae'r seremoni ar gychwyn.'

Anwybyddodd y Llydäwr ebychiadau'r ddynes dew yn llwyr.

'Fi wedi ysgrifennu nofel Cymraeg am brwydr yr iaith yn Llydaw a Cymru. Nofel eithafol, nofel gwladgarol, nofel chwyldroadol.'

'Tewch â sôn,' atebodd Jabulon, gan obeithio y byddai'r dyn yn tewi, gan fod rhes o bwysigion wedi eu gosod eu hunain yn un lein rwysgfawr ar y llwyfan eang. Y tu ôl iddynt safai bechgyn a genethod Urddaidd a glandeg, plant neis iawn, yn eu crysau gwynion a'u teis del, yn dal baneri.

'Rhaid i mi gael ei darllen. Dwi'n siŵr ei bod yn ddiddorol.'

'Mwy na hynny, brawd. Mae'n cenedlaetholdeb pur.'

Ar hyn distawodd y Llydäwr, a seiniwyd ffanffer, tra sigledig ei thonyddiaeth, o'r llwyfan. Daliai'r dorf ei hanadl pan floeddiwyd gwaedd ddramatig drwy'r meicroffon.

'Gyd-Gymry, wele'n Tywysog.'

Aeth yn gyffro byw drwy'r lle. Cododd yr ail res o'r ffrynt fel un gŵr, gan chwifio'u slogannau heriol — *'Brad'*, *'Cofiwn 1282'*, *'Cilmeri arall'*, ac ati, a lledodd distawrwydd afreal hyd gyrrau eitha'r babell. Daliwyd y dorf gan synder a mudandod llwyr. Gwelwodd wynebau'r sanhedrin ar y llwyfan, a chodwyd aeliau'r fyddin gadwynog yn y rhes flaen.

'Rŵan amdani.'

Crynai Jabulon fel deilen, a methai gael digon o nerth yn ei goesau i godi. Teimlai ei fod ar fin cael gwasgfa, ac roedd gwedd y bîb arno. Gwelai ei gyd-wrthdystwyr, dan arweiniad Garmon Gedeon, yn cerdded yn araf ac yn urddasol drwy ganol y gynulleidfa gegrwth, a'u baneri'n herio cydwybod pob Cymro a Chymraes yn y lle. Clywodd chwyrnad wrth ei ochr, a gwelodd fod y Llydäwr ar ei draed, a'i lygaid yn melltennu.

'Chaiff neb dweud bod Gonideg ar Goffig yn bradwr i Cymru! Bom, nid malu cachu! Tyrd yn dy blaen, babi clwt! Bom, nid malu cachu! Bom, nid malu cachu!'

Gafaelodd yng ngwar Jabulon a'i lusgo o'i sedd, gan ymuno â'r osgordd brotestiol oedd wedi ei chwyddo erbyn hynny i ragor na thrichant heriol. Taflodd Jabulon un cipolwg ar y llwyfan a gwelodd y llo cors o Ymhonnwr yn edrych yn anghrediniol ar yr olygfa â'i wynebai. Sylwodd hefyd ar grechwen ffiaidd ac amlwg rhai o bwysigion y llwyfan. A rhwng ei ffrwst a llaw awdurdodol Gonideg ar Goffig, fe anghofiodd Jabulon Jones druan bopeth am y slogan anfarwol a lechai dan ei gesail, y slogan oedd am roi Cymru, gwlad y menig gwynion, ar dân.

★ ★ ★

Wedi cythrwfl Prifwyl yr Urdd, daeth Jabulon yn llawiach â Goff y Llydäwr, a gwelai ef yn achlysurol ar strydoedd y dref. Yn unol â'r addewid hefyd, cafodd Jabulon fenthyg y nofel, nofel faith a thrymllyd a didreigliad, yn dwyn y teitl *Chwyldro yn Celtika*, ac fe'i darllenodd hyd at ganol y drydedd dudalen. Ni chafodd gyfle i'w dychwelyd i'r awdur, a bu'n hel llwch am flynyddoedd ynghanol ei nodiadau coleg.

A rhwng y nodiadau tenau hynny, ac eraill, a dylanwad cyfrin brawdol, daeth i ben yrfa golegol mab y Bwlch Mawr, gyda gradd gyffredin, uffernol o gyffredin, yng nghyfreithiau gwâr mam Tywysog Gwlad y Menig Gwynion. Bellach, roedd yn rhaid i Jabulon Jones Ll.B. dorri ei gwysi ei hun yn nhrybestod byd oedd yn dywyllwch i gyd.

14

Bob nos Fawrth cynhelid rihyrsal Côr Meibion yr Orffiws, Creuwyrion, yn Festri Capel Jesreel. Er bod iddo enw crand a chyfansoddiad rheolaidd, braidd yn llac oedd yr oll o nodweddion y côr hwn, yn ffyddlondeb, yn brydlondeb, ac yn donyddiaeth. Y rheswm am yr olaf, mae'n debyg, oedd oedran y cantorion, a'r diffyg diddordeb ymysg y genhedlaeth iau. Doedd *repertoire* y côr fawr o help i denu cantorion ifainc, a chyda diflaniad hyfforddiant mewn sol-ffa, pallodd, nid yn unig feithrinfa notars cymwys, ond hefyd unrhyw awydd i ganu mewn côr o fath yn y byd. Dim ond y '*wimps*' o blith y bobl ifainc fyddai'n breuddwydio am ymuno â rhengoedd y fath grair cerddorol â'r Orffiws. Un o'r '*wimps*' hyn oedd Jabulon Jones Ll.B.

Yn fuan wedi ei briodas frys â Dawn Angel, unig ferch Sam a Jenat Bowen, Fron Olau, yn Eglwys Sant Eilfyw, ymunodd Jabulon â rheng yr ail denoriaid yng Nghôr Meibion yr Orffiws, Creuwyrion.

Rhan o ymgyrch recriwtio aneffeithiol fu hudo'r llais rasal i'r rhengoedd. Un aelod arall enillwyd — un, hynny yw, o dan Oed yr Addewid — wedi wythnosau o ganfasio a chymell, a hwnnw oedd ysgolfeistr newydd Llaneilfyw, Jac Puw, gŵr ifanc o argyhoeddiadau gwladgarol cryfion, a gwrthwynebwr di-flewyn-ar-dafod y Frawdoliaeth Fawr. Gweithiai'n ddiarbed yn yr ysgol a chyda'r Urdd yn Llaneilfyw, ac ar ei ddyfodiad i'r fro, fe'i codwyd yn ysgrifennydd y côr meibion. Ynddo, cafodd y pentref gymwynaswr brwdfrydig a gweithgar dros ben, ac fe'i hoffid am ei ddidwylledd a'i blaendra, er gwaethaf camdystiolaeth gelynion amdano.

Fe'i caseid â chas perffaith gan y Seiri Rhyddion, ac roedd nifer dda o'r rheiny yn gantorion yn yr Orffiws. Felix Ratt oedd un ohonynt, Arolygydd yr Heddlu, a'r gŵr a fu'n bennaf gyfrifol am ddwyn achos yn erbyn yr ysgolfeistr, oherwydd y llanast ar wal

Teml y Seiri yn y dref. Gwadodd Jac Puw fod ganddo unrhyw *vendetta* yn erbyn yr heddwas, ac mai cyd-ddigwyddiad yn unig oedd ymddangosiad y gair Lladin '*Felix*' yn ei slogan drawiadol. Ym mhen arall y côr y canai Ratt.

Wrth ochr Jac yn canu eisteddai Harri Han'bag, yn fwy o soprano nag o denor, ac yn warchodwr hynny o arian oedd yn y coffrau. Chymerodd o fawr o ddiléit yn ei waith fel trysorydd, heblaw trefnu raffl i ddathlu jiwbilï'r côr dair blynedd ynghynt, a chyflwyno'i fantolen yn flynyddol. Doedd pethau ddim yn rhy dda rhwng y ddau, oherwydd bod Jac yn amau ers tro byd mai dwylo blewog oedd dwylo Harri Han'bag.

'*AAAAAAAAAAAAAmen*
ac AAAAA-AAAAAA-AAAAAAmen.'

Sgrechiodd yr Orffiws ddiweddglo syrffedus y dôn Llef am y filfed waith yn ei hanes, gyda batwn gwyn yr arweinydd yn hollti'r awyr fel cleddyf miniog Brython cynddeiriog.

'Uchafbwynt teilwng,' rhuodd y *Maestro*, gan sychu â'i lawes yr afon o chwys a lifai o'i dalcen i'w lygaid.

Caradog Protheroe oedd arweinydd y côr o'i gychwyn wyth mlynedd ar hugain ynghynt, pan y'i ffurfiwyd ar gyfer bod yn rhan o'r Côr Mawr Unedig yng Nghastell Caernarfon ddydd yr Arwisgo. Dyna'r flwyddyn hefyd pryd yr urddwyd Caradog, yn Eisteddfod y Fflint, yn aelod anrhydeddus o Orsedd Beirdd Ynys Prydain, oherwydd '*ei glodwiw wasanaeth i ganu corawl yng Ngwlad y Gân*'.

Bellach, tynnai Caradog am ei bump a phedwar ugain, ond nid oedd ganddo'r awydd na'r bwriad lleiaf i drosglwyddo'r awenau i rywun arall, petai'r fath ddyn ar gael. Byddai'n trengi yn y tresi, yn union fel ceifn ei nain, y tenorydd mwyn o Ddowlais, y dihafal Eos Morlais, a gychwynnodd ar fordaith bywyd yn Nylife ym Maldwyn. Yno, yn y mwynfeydd plwm, y llafuriai taid Caradog, cyn mentro ohono i fod yn yrrwr injan bach yn un o chwareli llechi'r gogledd ddiwedd y ganrif o'r blaen. Teimlai Caradog iddo etifeddu cyfran sylweddol o ddoniau'r Eos, a dyna pam y mynnodd gael ei urddo i'r Orsedd fel 'Caradog Morlais'. Roedd y berthynas yn un gwerth ei harddel.

'Fel y gwyddoch, gyfeillion, bu peth trafod yn ein plith yn ddiweddar ynglŷn â'r priodoldeb o gystadlu yn yr Eisteddfod

Genedlaethol, a hithau'r ha' nesa yn dod i Greuwyrion. Mae'n hanfodol ein bod yn dod i benderfyniad heno, er mwyn gallu trefnu'r *repertoire* ar gyfer ein cyflwyniad. Am raglen yn para dim mwy na deuddeng munud y gofynnir, rhaglen fydd yn cynnwys y darn prawf digyfeiliant, *Iubilate Amen*, o waith rhyw gyfansoddwr o Norwy. Ar bnawn Sadwrn ola'r Eisteddfod y cynhelir yr ornest. Cwpan a thri chant o bunnau ydi'r wobr. Beth amdani, gantorion? Beth amdani?'

'Dydan ni rioed wedi cystadlu mewn steddfod fawr o'r blaen,' cwynodd Harri Han'bag, 'dim ond yn Steddfoda Llaneilfyw a Chae Cribin, a fydda 'na neb yn cystadlu yn ein herbyn ni yn rheiny p'run bynnag. Cymdeithasa capeli a ballu ydi'n byd ni.'

'Dim ond i ni gofio hyd oerion ymylon y bedd ein bod hefyd wedi canu yng nghastell Caernarfon chwarter canrif yn ôl,' atgoffwyd pawb gan yr arweinydd balch, 'a diwrnod nefolaidd a bendigedig oedd hwnnw hefyd.'

'A'r cora' er'ill yn ein cario ni,' ychwanegodd Harri. Cofiodd Harri fod sôn yn ddiweddar y byddai'r *North Wales Provincial Choir*, côr y Seiri Rhyddion, yn teithio i'r Amerig am wythnos. Byddai mwy na digon o goflaid cerddorol, a hwnnw'n Saesneg hefyd, i'w ddysgu'n y fan honno. Ond penderfynodd Caradog fynd â'r maen i'r wal.

'Twt, twt! Mae dili-dalian fel hyn yn warth arnom ni fel côr lleol. Mi fydd y deyrnas gyfan yn disgwyl ein gweld *ni*, o bawb, ar lwyfan Prifwyl Creuwyrion, a fydda 'na 'mond lle buon ni petaem yn peidio cystadlu.'

'Ond be am raglen? Be gawn ni ei ganu?'

'Wel, 'rhoswch funud. Mae'r dewis yn eang — ac yn safonol. Gadewch i ni ystyried mater y *repertoire* yn bwyllog. Hmm . . . Mae gynnon ni . . . Myfanwy . . . a Llef . . . a'r Delyn Aur . . . a Bryn Calfaria . . . a Draw, Draw yn China . . . a Tyn am y Lan, Forwr . . . a Llanfair . . . a Gwahoddiad . . . a Hiraeth y Cymro . . . a Ti Wyddost Beth Ddywed fy Nghalon . . . a'r Bwthyn ar y Bryn . . . a Cyfri'r Geifr . . . a Gawn Ni Gwrdd Tu Draw i'r Afon . . . mae'r dewis yn ddiddiwedd . . . a *Deep Harmony* . . . a *Pilgrims* . . . a *Martyrs* . . . a *Comrades* . . . a . . . '

'Ond chawn ni ddim canu yn Saesneg. A ph'run bynnag, mae'r

darna 'da ni'n arfar 'u canu yn hŷn na phechod Efa. Creiria o oes yr arth a'r blaidd ydyn nhw,' protestiodd Jac Puw.

'Ylwch, frawd. Ella'ch bod chi yn ysgolfeistr ac yn ddyn wedi cael addysg o ryw fath, ond mae'n amlwg i bawb sydd â'r gronyn lleia' o synnwyr nad ydach chi'n dallt fawr ddim am gerddoriaeth. Mae profiad oes yng ngholeg y werin, coleg y grug a'r eithin, wedi fy nysgu i, er saled wyf, i ymddiried bob amser yn yr hyn a feddwn, ac a wyddom, yn yr hen drugareddau, a pheidio â rhoi ein hymddiriedaeth mewn unrhyw fiwsig ffansi modern.'

'Clywch, clywch,' ategodd aelodau hyna'r côr, aelodau nad oedd ganddynt yr awydd lleiaf i ddysgu unrhyw beth newydd. Byddai'r *Iubilate Amen* digyfeiliant yn hen ddigon o dreth ar eu cof a'u hadnoddau lleisiol, a chan na fyddent yn mynd i'r drafferth o ymarfer y nodau na dysgu'r geiriau gartref, ni ellid disgwyl rhagor nag un darn newydd ganddynt.

Am y canfed tro ar fater delicét y *repertoire*, trechwyd Jac Puw gan gefnogaeth ddigamsyniol trwch yr aelodau i arbenigedd ac athrylith Caradog Morlais, a rhoddwyd y caead yn dynn ar biser pob un a feiddiai amau ei farn a'i ddoethineb. Bellach, gwyddai Jac druan mai ofer pob ymresymu, ac mai Myfanwy a Llef, *golden oldies* yr Orffiws hynafol, fyddai cymdeithion clasur Halfdan Kjerulf ar lwyfan Prifwyl Creuwyrion yr haf hwnnw.

15

Eisteddai Jabulon yn fyfyriol o flaen siwin o dân ym mharlwr Bwlch Mawr.

Go dratia'r ddynas 'ma'n gadal i'r tân ddiffodd bron, a finna 'di deud wrthi am ei gadw fo, a bod gwaith cyfrinachol hollbwysig gen i i'w neud yn y parlwr 'ma ar ôl practis côr.

Rhoddodd bwniad ysgafn i hynny o dân oedd yno, a throi ambell glap drosodd er mwyn i'r du fflamio. Byddai angen rhawiad go dda o danwydd i ailgnesu'r hen barlwr mawr, a rhagwelai fod oriau eto o'i flaen cyn y gallasai noswylio, a chymryd bod sail i honiadau Jac Puw, ysgrifennydd y côr.

Galwodd hwnnw arno fel yr oedd ar danio peiriant y car i fynd adref o gefn festri Jesreel, ac yno, yn nhywyllwch ac oerni dechrau Ionawr y bu Jabulon druan, a ffenest y car yn agored, bron rhynnu i farwolaeth tra'n gwrando ar sylwadau Jac Puw, nid am *repertoire*, ond am goffrau Côr Meibion yr Orffiws, Creuwyrion.

Fe'i llonwyd, fodd bynnag, gan genadwri Jac. Honni roedd hwnnw fod Harri Han'bag wedi stwffio'i bump i'r pwrs, a throsglwyddo cyfran hael o'r cynnwys i'w han'bag ei hun. Addawodd roi gwybod i Jac petai'n canfod unrhyw sail i'w dybiaeth ynglŷn â thwyll honedig Harri Han'bag.

Closiodd at y tân gan roi ei draed ar y pwffe. Yfodd weddill ei baned, ac ymroddodd yn awchus i'r dasg a'i wynebai. Tynnodd y llyfrau a'r papurau o'r cwdyn plastig *Kwiksave* a gawsai gan Harri yn ystod yr ymarfer, a'u gosod yn bentwr taclus wrth ochr ei gadair. Rhoddodd ei sbectol ar ei drwyn, ac agorodd y llyfr cownt.

Bu cyfrifiannell Jabulon Jones wrthi'n ddiwyd am gryn hanner awr, ond cafodd, er mawr siom iddo, fod y cyfrifon yn ddifefl. Roeddent yn gywir i'r ddimai. Gwiriodd y cyfan drachefn, gan edrych yn fanylach ar y llyfr sieciau a'r llyfr talu-i-mewn, ond eto gyda'r un canlyniad. Popeth mewn trefn, yn dwt ac yn gywir.

Be haru'r Jac Puw wirion 'na, yn cyhuddo Harri druan fel y gwnaeth o, a'r creadur mor onast â'r geirchan. Go dratia las! Dyma 'nghynllunia inna' yn ffliwt rŵan am fod yr uffar yma'n onast!

Rhoddodd Jabulon y llyfrau'n ôl yn ofalus yn y bag plastig, ond wrth iddo wneud hynny, sylwodd ar un ddalen blygedig yng ngwaelod y bag. Gafaelodd ynddi, a'i darllen. Mantolen y côr am y flwyddyn 1993, wedi ei llofnodi gan Harri fel Trysorydd, a Huw Foster fel Archwiliwr.

Meddyliodd Jabulon am eiliad, ac edrychodd yn syfrdan i lygad y tân. *Tybed? Tybed?*

Edrychodd ar y ddwy fantolen a'u cymharu.

Rhagfyr 31ain, 1993:	*Mewn Llaw*	*£276.22*
Ionawr 1af, 1994:	*Mewn Llaw*	*£74.35*

Astudiodd y llyfr talu-i-mewn eilwaith. Dim byd! Dim byd! Diawl o ddim byd! Dros ddau gant o bunna, casgliad gwasanaeth carolau'r côr ar gyfer gwaith dyngarol *Action Aid* yng Nguatemala, heb eu talu i'r elusen, ond wedi eu defnyddio i foddhau dehongliad rhyddfrydig Harri Han'bag, pregethwr Arminaidd, o '*charity begins at home*'. Oes yn wir, *mae* cwymp oddi wrth ras!

Dyma fi wedi dy gael di'r uffar bach, dyma fi wedi dy gael di. Mi fy ngweli di fi'n ysgwyd llaw hefo dy frawd, Harri Han'bag, fu rioed ddim byd sicrach.

Aeth Jabulon Jones i'w wely yn ddyn llawen, a methai Dawn Angel yn lân â dygymod â'r serch a deimlai ei phriod tuag ati'n ddiweddar, 'rôl blynyddoedd o ddarllen y *Sun* a throi at y pared i gysgu.

16

Nos trannoeth cynhelid cyfarfod mis Ionawr y *Snowdonia Lodge of the Ancient Fraternity of Free and Accepted Masons under the United Grand Lodge of England*, yn nheml Creuwyrion.

Hwn oedd cyfarfod cyntaf Jabulon ers ei dderbyn yn gyflawn aelod fis ynghynt, a theimlai'n nerfus wrth feddwl troedio teils y cysegr sancteiddiolaf unwaith yn rhagor. Roedd dwy ffaith yn gysur iddo. Fyddai dim rhaid iddo'r tro hwn baredio'n gyhoeddus ac yn hanner noeth gerbron ei Frodyr, ond yn fwy na hynny, ac yn ganmil pwysicach na hynny, gobeithiai y byddai, cyn neidio i'w wely heno, yn gallu rhoi ei gynllun mawr ar waith, fel y cam cyntaf tuag at ddwyn iddo'i hun sylw cenedlaethol, a chydnabyddiaeth genedlaethol.

Cydnabyddiaeth? Am beth, tybed? Am lafur diflino dros ddiwylliant Cymru? Pa lafur? Am ei gyfraniad aruchel i ganu corawl yn rheng ail denoriaid un o gorau mwyaf uffernol Cymru, Lloegr a Llanrwst? Am ei ran anamlwg ac ansicr ers talwm wrth gwt tyrfaoedd protestiol? Am ei gampau academaidd unigryw?

Teimlodd rhyw wegni rhyfedd yn ei fol wrth iddo geisio treiddio i berfeddion ei enaid a'i gymhellion. Os twyllo, twyllo am reswm. Os derbyn sylw, derbyn sylw am rywbeth a ymddangosai, o leiaf, yn ddyrchafol a haeddiannol.

Meddyliodd drachefn, a cheisiodd ei roi ei hun yn y glorian. Doedd o erioed wedi gwneud unrhyw farc o bwys fel cyfreithiwr. Enillodd o rioed yr un achos pwysig. Yn wir, chafodd o rioed y cyfle, a phetasai wedi cael cynnig achos o bwys, byddai naill ai wedi gorfod ei wrthod neu, o ymgymryd ag ò, wedi bod yn fethiant. Gan na chaniateid i gyfreithwyr eu hysbysebu eu hunain mewn na phapur na dim, canfu'n fuan mai haws dweud na gwneud oedd hi ym myd busnes tref fel Creuwyrion. Lle anodd iawn i gael eich traed 'danoch, lle hefo dosbarth canol uffernol o geidwadol a mewnblyg. Anthem y lle, yn ôl pob golwg, oedd '*Cân di bennill fwyn i'th nain . . .*'

Roedd wedi hen sorri â'r ymgyrchwyr iaith hwythau. Efallai, petai wedi cael y cyfle, y byddai wedi ei gael ei hun yn eu hamddiffyn mewn llysoedd barn ledled Cymru, ac ennill iddo'i hun anrhydedd ymysg cyd-wladwyr gwladgarol. Ond fel yr oedd pethau, doedd neb o'r petha iaith 'na am iddo'u hamddiffyn. Ac yntau, yn ymgorfforiad o wladgarwch, wedi cael papur llythyrau swyddogol cwbl ddwyieithog yn ddiweddar.

A dyna'r Eisteddfod Genedlaethol Frenhinol hithau, a Gorsedd Beirdd Ynys Prydain. Dau sefydliad Cymreig ar yr wyneb ond, a barnu oddi wrth ymosodiadau dilornus Jac Puw a'i debyg, dau sefydliad oedd yn llawn o bobl a ystyriai anrhydeddau ymerodrol brenhines Lloegr ar yr un gwastad ag, os nad yn uwch nag, anrhydeddau a rennid â haelioni Hywel bob mis Awst oddi ar y Maen Llog. A ph'run bynnag, roedd rhan helaeth o anrhydeddau'r Orsedd yn cael eu rhannu i bobl anheilwng, cwbl anheilwng a dweud y gwir, llawer ohonynt am rhyw wasanaeth honedig i'r Gymraeg yn Lloegr! Mae yna Gymry gwych yn byw yn Croydon fel yn Carlisle.

Petai o'n cael ei draed dan bwrdd yng nghylchoedd yr Orsedd, fyddai dim dal ble y glaniai wedyn. Gwyddai fod y sioe eisteddfodol yn drybola o Fesns, a'r rheiny'n Fesns Menig Gwynion go iawn. Petai'r Brawd Mawr Daniel yn ymddeol, dyweder, neu'n well byth yn marw, byddai angen cyfreithiwr profiadol — wel, cyfreithiwr o ryw fath beth bynnag — i lenwi ei swydd. Roedd gan Jabulon ddigon o dystiolaeth am fynych aflonyddwch botymau balog yr hwrgi hwnnw i'w groeshoelio fory nesa. Mae o'n dal wrthi meddan nhw — yn ei henaint. Ac er nad ydi Awel Môn yn mynd ddim fengach, nac yn ddelach, mae'r hen lastig yn dal mor llac ag erioed, a barnu oddi wrth y modd y ciledrychai ar ddynion dros gaead ei phiano yn ystod rihyrsals y côr meibion.

A dyna Fedal Parry-Williams am wasanaeth gwirfoddol dros y Gymraeg. Gallasai Jabulon yn hawdd fod yn 'nelu am honno'n fuan petai'n cael digon o awydd a nerth i hyrwyddo'r iaith o fewn muriau teml Cyfrinfa Eryri. Rhodder rhyw bum mlynedd arall i'r dyn, a gallasai'n hawdd fod y person cyntaf erioed o'r hen Sir Gaernarfon i'w hennill.

Ond yn uchaf yn ei feddwl, ymhell bell uwchlaw popeth arall, roedd y ffaith syfrdanol nad oedd dim rhaid i chi rŵan fod yn fardd i gael eich codi'n Archdderwydd. Cofiodd iddo glywed ar y newyddion o'r Eisteddfod yn Llanelwedd i'r sanhedrin Eisteddfodol benderfynu y gellid, o'r tro nesaf, ethol Archdderwydd o blith y Prif Lenorion yn ogystal â'r Prifeirdd. Ysywaeth, roedd yna un rhwystr bychan a gadwai Jabulon oddi ar ffon gyntaf yr ysgol lenyddol urddasol hon. Doedd o ddim yn aelod o'r Orsedd! Doedd ganddo chwaith ddim gradd mewn Cymraeg na Cherddoriaeth. Doedd ganddo ddim cymwysterau, hyd yn hyn, i haeddu aelodaeth anrhydeddus. Nid oedd yn llenor o fath yn y byd, ac nid oedd yn chwaraewr rygbi rhyngwladol. Nid oedd yn un o wynebau cyfarwydd S4C.

Quo vadis, felly, Jabulon Jones? I ble'r ei di â'th uchelgais urddasol a'th feddyliau cymysglyd?

Y gwir amdani oedd fod popeth, ie popeth, ar fin newid. Roedd Jabulon Jones wedi hen berffeithio ei gynllun, a'r unig beth ar ôl bellach oedd ei roi mewn grym. Gwelai deithiwr yn cerdded o Jerwsalem i Jerico, ond welai o yr un Samariad ar gyfer y darlun. Heno, câi darpar *Worshipful Master* Cyfrinfa Eryri, darpar Brif Lenor y Genedl, darpar Gyfreithiwr Mygedol y Cyngor a'r Orsedd, darpar Archdderwydd Gwlad y Menig Gwynion, weld i ba gyfeiriad y chwythai'r awelon.

★ ★ ★

Sodrodd Jabulon ei glun ar ban esmwyth ceudy'r loj. Teimlai'n unig a digysur, a'i feddwl cythryblus wedi cynhyrfu ei ymysgaroedd yn lân. Dolur rhydd. Clamp o ddorti. Ni allai, ar y funud, ond gori a myfyrio

> '. . . *fel adyn ar gyfeiliorn, neu fel gŵr*
> *Ar ddyfroedd hunlle'n methu cyrraedd glan.*'

Dychwelodd yr hen ofnau i'w galon. Teimlai ei anadl yn byrhau a churiad ei galon yn cyflymu. Roedd amser, bellach, mor brin. Caeodd ei lygaid ac anadlodd yn arafach ac yn ddyfnach, gan obeithio y sadiai hynny ei nerfau gwan.

Clywodd wich y drws gerllaw. Clywodd leisiau cyfarwydd. Moelodd ei glustiau hirion. Daliodd ei anadl. Cadifor Efnisien Walters M.A., a Henry Nelson Hughes y *Masonic Mutual*. Gwrandawodd yn astud.

'Dyna ddeudodd Mosus 'mrawd w'sti, — ro'n i ar y ffôn hefo fo gynna' — ac mi ro'dd ynta hefyd yn dra siomedig.'

'Mi fydd yn drychineb i Greuwyrion os mai dyna fydd y canlyniad.'

'Brensiach annw'l, bydd. Ac i feddwl nad oes 'na neb, meddylia, uffar o neb, yn 'i theilyngu, os na ddaw rhywun i'r adwy o hyn i ddiwadd y mis. Walters bach, tasa dim ond un yn deilwng mi fasa hi'n ddigon hawdd smalio wedyn a brolio dipyn ar y lleill, a smalio cadw urddas a safon y gystadleuaeth a'r Steddfod.'

'Yn hollol, Henry Hughes, yn hollol. Dim ond i ni gael un, dim ond un gwaith teilwng o hyn i ddiwedd y mis, ac mi fydd yna gyflwyno'r Fedal yng Nghreuwyrion.'

'Dratia las! Dyna fi wedi piso am ben fy sgidia eto!'

Gadawodd y ddau ymwelydd dawelwch y ceudy yng ngofal Jabulon Jones. Gwyddai hwnnw'n burion beth oedd ystyr a goblygiadau'r sgwrs fer a glywodd. Pythefnos i fynd. Mwy na digon. Sbriwsiodd drwyddo. Sychodd ei din yn lanach nag erioed o'r blaen, cododd ei lodrau yn llawn asbri, diflannodd y dolur rhydd ac aeth yntau at ei Frodyr, ac at ei Wobr.

17

Hoffai Harri Han'bag wlychu'i big, yn arbennig ar noson y loj. Ni fyddai'n yfed yn rheolaidd, dim ond pan gâi gyfle, a rhwng y côr a'r Gyfrinfa roedd hynny'n lled aml ers rhai blynyddoedd bellach. Arferiad Seiri Creuwyrion, y rhai hynny ohonynt a drigai yn Llaneilfyw, oedd troi i mewn i dafarn y pentref, yr *Emperor's Sun*. Gan fod nifer ohonynt yn aelodau o'r Orffiws hefyd, caent rhyw lymaid neu ddau cyn troi adref ar ôl y rihyrsal wythnosol yn ogystal.

Roedd y dafarn yn hen le, a'i muriau trwchus o gerrig tir mawrion yn dyddio'n ôl i ddyddiau Gwilym Oren, arwr mawr Brwydr y Boyne a Seiri Rhyddion Ulster. Safai gyferbyn â'r eglwys, ac yn ei dyddiau cynnar fe'i gelwid, yn naturiol yn Tŷ'n Llan. Ond gyda chodi o'r Haul Tragwyddol ar Ymerodraeth Fawr Lloegr, heb sôn am ymweliad neb llai na'r Dyn Oren ei hun ryw oes a fu, ar ei ffordd o Iwerddon yn ôl traddodiad, ac yn unol â meddylfryd gwasaidd ac addolgar Cymry'r cyfnod, fe'i hailfedyddiwyd yn *Emperor's Sun.* Adlewyrchai hyn y ffaith syfrdanol ac anwadadwy na fyddai machlud o hyn i dragwyddoldeb, a hyd yn oed ymhellach na hynny, ar yr haul ymerodrol a dwyfol hwnnw.

Tafarnwr y *Sun* oedd Jack Beef, Sais rhonc o Tunbridge Wells, a brynodd y lle yn rhad rhyw bum mlynedd ynghynt. Ni wyddai neb ddim o'i hanes ef na Lily (*neé White*), ei wraig, os gwraig hefyd. Ond gan mai o Tunbridge Wells yr ymfudasant i Laneilfyw, a'u bod yn siarad Saesneg a ymddangosai i'r Cymry anwybodus fel Saesneg dysg, fe'u croesawyd â'r croeso twymgalon arferol roddid, ac a roddir, i fewnfudwyr i bentrefi diarffordd gwlad y menig gwynion. Mewn gair, roeddent yn '*bobol neis*'.

Bu i Beef yntau, gyda diffuantrwydd llaes, bwysleisio mai braint fwya'u bywyd iddo ef a'i briod oedd cael eu derbyn â breichiau mor agored a chroesawus i wlad a chanddi ddiwylliant ac iaith wahanol, gan bobl nad oedd eu tebyg ar wyneb daear. Carai ei gwsmeriaid gan eu hannog o hyd ac o hyd — '*please call us Jack and Lil, I mean like.*'

I brofi ei ddidwylledd, cyhoeddodd ar goedd am hanner awr wedi deg ar ei noson gyntaf yn yr *Emperor's Sun*, ei fod ef a'i briod hawddgar am ymroi yn syth bin i ddysgu Cymraeg. Croesawyd ei benderfyniad â bonllefau gwlatgar croch, a chanodd y ffyddloniaid Hen Wlad fy Nhadau â'r fath arddeliad ac asbri ailanedig nas gwelwyd yn y dafarn ers dyddiau Gwilym Oren ei hun.

Yn ystod eu pum mlynedd cyntaf tu ôl i far yr hen dafarn, ni chafwyd fawr o gynnydd gweladwy yng Nghymraeg Mistar a Musus Beef. Hysbysodd y tafarnwr doeth ei gwsmeriaid fod y Gymraeg 'yn iaith anodd iawn i'w dysgu'. Phoenodd hynny mo'r ffyddloniaid, gan y mynnent hwy siarad Saesneg, o ryw fath, â'r tafarnwr rhadlon p'run bynnag. Rhaid cofio mai Cymry oeddent.

I bob pwrpas, neu o leiaf i bwrpas busnes, rhoddai Beef a'i briod flonegog yr argraff cyhoeddus eu bod yn genedlaetholwyr Cymreig! Roedd y peth yn rhyfeddol. Aethant ati, chwarae teg i'r ddau — '*good old Jack and Lil*' — i Gymreigio'u sefydliad, gan fynnu bod cwmni gwirodydd y *Victorian Victuals* yn prynu arwydd dwyieithog, '*bilingual sign*', i'w hongian ar fur y tŷ potas, Saesneg ar un ochr a Chymraeg ar y llall. Plesiai hyn y brodorion yn gynddeiriog, ac un o'r brodorion clên hynny, Henry Nelson Hughes y *Masonic Mutual*, fu'n gyfrifol am gyfieithu'r arwydd '*Emperor's Sun*' i'r Gymraeg.

Gwnaeth hynny gyda pharodrwydd, trylwyredd a deallusrwydd nodweddiadol Gymreig, ac o fewn pythefnos gwelid y geiriau anfarwol '*Mab yr Ymherawdwr*' yn siglo'n wichlyd i süon sarffaidd yr awelon dwyreiniol a chwythai dros afonydd Ogwen a Saint. Er ei fod yn ddarllenwr brwd a chyson papur dyddiol o'r un enw, a'i bennaf ddiléit ym mhlygion cnawdol ei drydedd dudalen, roedd Beef druan, gyda chymorth Harri Han'bag hollwybodus, wedi ei methu hi'n o arw.

Y Parchedig Huw Elias oleuodd feddwl y tafarnwr, un bore heulog, i'r ffaith syfrdanol fod rhagor, nid yn unig rhwng seren a seren mewn gogoniant, ond rhwng haul a haul yn ogystal. Trodd wyneb Beef druan cyn goched â golwyth o gig eidion amrwd, ac yn ddisymwth diflannodd yr arwydd dwyieithog. Arallgyfeiriwyd Cymreictod rhyfeddol y tafarnwr gwladgarol i dâp fideo Carioci

Cymraeg, a llun o'r Orffiws uwchben y bar. A doedd neb o'r cwsmeriaid yn cwyno. Cymry oeddent.

* * *

Wrth un o fyrddau'r *Emperor's Sun*, hanner awr wedi gorffen cyfarfod mis Ionawr Cyfrinfa Eryri, gwelwyd Jabulon Jones a Henry Nelson Hughes mewn cyfyng-gyngor.

'Mae arna' i isio gair bach â chi Harry Hughes, os ca' i,' sibrydodd Jabulon yn ei glust wrth godi glasiad o siandi iddo'i hun, a pheint o'r melyn i'r brocer chwilfrydig. 'Busnes, busnes pwysig.'

'At eich gwasanaeth, frawd, at eich gwasanaeth. Mi awn ni i ista yn y gongol 'cw, lle y cawn ni lonydd. Does dim rhaid i ti bryderu dim, 'rhen Jab, mi rydw i, hefo 'mlynyddoedd o brofiad, yn un di-fai am s'nwyro anghenion pobol. Mi wyddwn i ar dy wynab di fod 'na rywbath yn dy boeni di, a chei di neb gwell na Henry Nelson Hughes, y *Masonic Mutual*, i dy gael di o dwll, wa'th be 'di ei ddyfndar o.'

'Dwi ddim yn ama' am funud Harri Hughes, nad chi ydi'r unig un fedar roi i mi'r sicrwydd sydd ei angan arna' i, oherwydd pan ddaw hi'n fatar o bres, does 'na ddim dyn yn y plwy 'ma fedar ddal cannwyll i chi. Rydach chi wedi hen arfar gneud cowntia, ac yn gwbod be 'di be ym myd arian. A deud y gwir wrthach chi, rhyw broblem fach o fethu cael cyfrifon yn blwm sy' gen i, rhyw fethu cael dau ben llinyn i glymu'n hapus yn 'i gilydd.'

'Tipyn o hydar sydd 'i angan arnat ti Jab, tipyn o hydar. Mae profiad wedi 'nysgu i ar hyd y blynyddoedd mai dyma ydi diffyg mwya rhai o'n pobol dysgedica.

'Dwyt titha, falla', ddim yn eithriad. Dyma chdi, yn hogyn o'r lle 'ma, yn hogyn clyfar wedi graddio'n uchal iawn, ac yn dwrna llwyddiannus. Mi fasat ti, petaet ti wedi dymuno hynny, wedi gneud dy farc, heb os, fel bargyfreithiwr yn Nerpwl ne' Fanceinion, petai gen ti fwy o hydar. Mi fasat ti hefyd wedi gallu gneud enw i ti dy hun mewn meysydd er'ill, petai gen ti fwy o hydar.

'Cym'ra di Mosus 'mrawd, talp o hydar os buo 'na un erioed. Gada'l yr ysgol yn bymthag oed a mynd i weithio yn y dur draw ym Mrymbo. Ond rhwng 'i hydar a'i styfnigrwydd mulaidd o, a'i awydd angerddol o am ddŵad ymlaen yn y byd, fe'i mentrodd hi i

Goleg Harlach, coleg yr ail gynnig fel y gelwir y lle, a chael 'i hun o dipyn i beth yn prifio fel 'sglaig a llenor. Mi wyddost ti weddill y stori, mi wn — Coleg y Brifysgol, yr *University* felly, ym Mangor, a graddio'n uchal uffernol yn y Gymraeg, a chael lle fel athro yn Nyffryn Clwyd. A rŵan mae o'n feirniad cenedlaethol, ac yn *Worshipful Master* tua Rhuthun 'na, a synnwn i'r un tama'd na fydd o'n Archdderwydd rhyw ddydd.'

'Mae o'n beirniadu yn Steddfod Creuwyrion 'ma 'leni, yn tydi?'

'Ydi'n tad. Fo a *Walters y Wasg* a rhyw fodan o'r Sowth ydi'r beirniaid yng nghystadleuaeth y Fedal Ryddia'th 'leni. Digon o hydar, dyna ydi o i ti.'

Doedd Jabulon ddim â'r bwriad y foment honno i sôn am barchus frawd y dyn siwrin. Ceisiodd godi trywydd arall, mantolen y Côr Meibion.

'Ydio'n gerddor, Harri Hughes?'

'Dim byd o'r fath. Llais fel brân dyddyn, a chlust fel cwpan inamal. Mi fydda' Mam, 'rhen dlawd, yn deud bob amsar mai fi ac nid 'y mrawd oedd gobaith cerddorol y teulu. Ro'dd yr hen gwîn yn llygad 'i lle, wrth gwrs. Canu a gneud arian fu mhetha i rioed, wsti. Mae'r ddau yn mynd law yn llaw r'wsut, dyna fydda' i'n ei ddeud. Dyna pam fod Crad yn deud wrth bawb mai fi ydi aelod mwya defnyddiol yr Orffiws, rhyw aelod at iws gwlad felly, yn denor caboledig ac yn drysorydd gwerth chweil. Choeli di ddim, ond mi fydda' i'n canu wrth wneud cowntia.'

Chwarddodd Harri'n g'lonnog am ben ei ddigrifwch ei hun, a thybiai Jabulon fod y bwled yn awr yn wynias yn y gwn.

'Canu fydda' Jesse James hefyd, wrth gludo'i ysbail o fancia'r Gorllewin Gwyllt.'

'Ia, mae'n debyg. Ond dwyn roedd hwnnw, nid cadw llyfra a llunio mantolan flynyddol.'

'A ffugio'r fantolan honno i guddio anonestrwydd! *Action Aid*, Harri Hughes, *Action Aid*!'

Roedd Harri ar ganol traflwnc hael o'i gwrw pan ollyngwyd yr ergyd. Ar amrantiad, peidiodd â llyncu, ond daliodd ymyl ei wydryn yn dynn rhwng ei ddannedd a chau ei lygaid yr un cyn dynned. Daliodd ei anadl, ac ymhen rhai eiliadau edrychodd i fyw llygaid Jabulon. Yn nwfn ei enaid roedd yn wylo. Gwyddai, o'r foment y saethwyd ato, fod hon yn ergyd farwol.

Daeth ato'i hun yn syndod o sydyn, a sylweddolodd yn syth fod yr Archwiliwr hwn yn bur saff o'i bethau. Er nad ystyriai ef Jabulon Bwlch Mawr ymysg y mwyaf deallus o blant Adda, gwyddai ar ei edrychiad a'i osgo, a'r ffordd y saethodd y geiriau tuag ato, ei fod, y tro hwn, ar ei drywydd. Rhaid oedd dweud rhywbeth, unrhyw beth, i dorri'r garw oedd rhyngddynt.

'Be haru ti'r diawl gwirion? Be w't ti'n ei badar-ruo, d'wad?'

'Rydach chi'n gwbod yn iawn, Harri Hughes. Ac mi rydw inna'n gwbod. Dau gant ac un o bunna, saith a phedwar ugain o geinioga i fod yn gysáct. 'Dach chi 'di dwyn gymaint â hynna o arian y Côr, Harri Hughes, do, wedi'i dwyn nhw. Arian *Action Aid*, arian plant bach yn llwgu!'

'Be ddweda' 'rhen Grad, tybad? Be ddweda' aeloda'r Côr, yn enwedig Jac Puw, sy' esys yn ama' rwbath? Be ddweda'r Brodyr yn y loj? Y? Be ddweda' Felix Ratt a Mainc Ynadon Creuwyrion? Fuoch chi'n Walton rioed Harri Hughes? Lle uffernol i unrhyw ddyn, ond canmil gwaeth i ddyn o'ch oedran chi! Be ddweda'ch brawd, Moses Hughes, y beirniad cenedlaethol? Dwi'n siŵr y bydda' 'na hen edrach ymlaen tua Rhuthun 'na i gael esgyn i lwyfan pnawn Merchar y Brifwyl, a gwbod bod 'i frawd o ei hun dan glo yn Lerpwl, am ddwyn ceinioga prinion plant bach yn marw o newyn, a thrwy hynny rwystro'r côr rhag cystadlu yn y Steddfod. A beth ddweda'r Steddfod 'i hun tybad, a'r Orsadd, a Robat Danial, a'r Archdderwydd, a'r garafán i gyd? Y? Dwi'n gofyn i chi, ar fy mheth mawr, newch chi 'styriad, a 'styriad yn ddwys iawn, be 'dach chi wedi ei neud, ddyn.'

Erbyn i Jabulon saethu'i saeth olaf, treiglai'r dagrau yn boethion o lygaid Harri Han'bag. Chwythodd ei drwyn yn swnllyd. Yna, yn gwbl ddigyffro, tynnodd Jabulon ei feret du oddi ar ei ben a chyhoeddi bod ffordd wedi ei threfnu i bechaduriaid gael dihangfa, a bod maddeuant gweddol rad i'r edifeiriol. Ond roedd edifeirwch yn golygu rhoi gair yng nghlust ei frawd, Moses, wedi'r dydd olaf o fis Ionawr.

'Ydi wir, Harri Hughes, ydi wir, mae hyder yn hanfodol i lwyddiant. Ac wedi blasu eich cwmni diddan chi, pwy all beidio â theimlo'n hyderus? Nos dawch . . . Frawd.'

Cododd o'i gadair ddi-sigl, llyncodd weddill ei siandi, ac aeth allan i'r nos.

18

Bu Jabulon yn brysur ar ôl cyrraedd adref. Llyncodd ei fygiad o Bovril, a gwadnodd hi i fyny i'r giarat, gan dynnu yno'r llanast mwyaf erioed i'w ben.

'*Tort* . . . *Equity* . . . *Roman Law* . . . *Constitutional Law* . . . Ble ddiawl ma' hi, tybad? *Land Law* . . . *Jurisprudence* . . . *Conveyancing* . . . Do's bosib 'mod i 'di ei cholli hi? Mae hi i fod yn fa'ma, yn lluch-dafl, fel y gweddill o'r 'nialwch coleg uffar 'ma. Pam na fedra' i, 'mwyn tad, roi matsian yn yr hôl job lot, a chael gwared â hen atgofion annifyr am dre annifyr a phobol annifyr a choleg annifyr ac arholiada annifyr a . . . *Criminal Law* . . . O, fy ngwlad! Diolch byth!'

Yno, ym mwrllwch yr hen daflod, canfu Jabulon foddion ei achubiaeth. Cododd becyn papur llwyd o ganol y 'nialwch, a rhoddodd un chwythiad buddugoliaethus i'r llwch a'r pryfed meirwon a'i cadwodd rhag pydru am dros chwarter canrif o aeafau oerion a hafau poethion dan ddistiau a llogeiliau, ac ynghanol croniclau llychlyd gyrfa academaidd ddi-liw gŵr y Bwlch Mawr.

Datododd y rhuban glas a'i clymai, a syllodd fel un mewn perlewyg, ar y cynnwys.

Nofel Gwleidyddol. 'Chwyldro yn Celtika.'
Awdwr y Nofel Hwn yw Gonideg ar Goffig.
Ysgrifennwyd yn y blwyddyn 1969, blwyddyn gwarth y Cymru.

Nos yfory, ac efallai yn gynt na hynny, bydd Cadifor yn cael y fraint o olygu a chywiro'r cyfan. Yna byddaf finnau, Jabulon Jones Ll.B., darpar Brif Lenor Creuwyrion, yn ei hanfon i swyddfa arbennig yn y dref, Swyddfa'r Eisteddfod, fel y gall gweithwyr siriol y swyddfa honno, yn eu tro, ei hanfon i Gadifor, a Moses Hughes, a Myfanwy Havana Trumper, i'w chloriannu a'i chyhoeddi'n fuddugol, yn wyneb haul dechrau Awst, a llygad goleuni lampau anniffoddadwy Cyfrinfa Eryri.

Tybiai glywed bloedd Archdderwyddol yn atseinio drŵs bob trawst a brycheuyn yng nghroglofft ei ddychymyg — '*Jabulon! Urddwch a Dyrchefwch Eilun. J.U.D.E.*'. Fe wnâi ffugenw campus! Ni fyddai'n rhaid i Jabulon wneud dim wedyn, ond disgwyl am lythyr neu alwad ffôn rhyw ddeufis cyn yr arwisgo.

Aeth i'w wely, ac am y pedwerydd tro yr wythnos honno closiodd at Dawn Angel, gan dyngu ger ei bron ac ar ei beth mawr mai hi oedd y wraig orau a'r brydferthaf yn yr holl fyd, ac mor ffodus oedd hi i'w gael ef yn ŵr iddi.

* * *

Cafodd Jabulon noson arall ddi-gwsg. Yn gobog yng ngwely llofft ffrynt Bwlch Mawr, a'i ben yn boeth ar y gobennydd, a'i obaith yn eirias, cynlluniodd gam nesaf ei genhadaeth. Methai Dawn Angel yn lân â deall beth a'i corddai. Welodd hi erioed mohono mor ffrwcslyd, ac eto mor llawen. Un oriog fu o erioed, ac yn furgyn rhewllyd rhwng y cynfasau, waeth faint o fodio a wnâi hi. Roedd o'n ddyn gwahanol y dyddiau hyn, yn gwenu ac yn sgwrsio, ac yn dangos diddordeb yn Winston a Thoby, ac ynddi hithau. A heno, roedd hyd yn oed wedi canmol y Bovril!

Harri Han'bag, y lleidar digywilydd, mi rydw i wedi dy gael di. O, do. Ma' caead dy bisar di wedi 'i gau mor dynn fel na fedri di ei agor o byth eto heb gymorth bôn braich dy frawd. Sôn am gachu brics, ar f'engoes i. A fory, gobeithio, mi fydd yn blesar gan Jabulon Jones, Llenor, roi tro bach ar gorn gwddw cadi-ffan Gwasg Sycharth, i weld sut y tagith yr hen gew 'i hun. Fe gaiff hwnnw hefyd weld faint sydd 'na tan Sul. Y tro yma, fi, a dim ond fi, fydd tu clyta'r clawdd.

19

'A! Jabulon Jones, ein haelod a'n Brawd newydd. Croeso i Wasg Sycharth, y wasg a rydd wasanaeth cyflawn a chyflym am bris rhesymol.'

Ysgydwodd y ddeuddyn ddwylo, a gallai Jabulon deimlo, nid yn unig arwydd cyfrin y Frawdoliaeth ym mawd Cadifor, ond hefyd wahoddiad crafllyd y canolfys i gyfeillgarwch amgenach.

Dyma gyfle buan, meddyliodd Jabulon, gan geisio meddwl am eiriau fyddai'n osgoi mynd rownd Sir Fôn i gyrraedd Pont y Borth.

'Dyna'r union beth ddaeth i fy meddwl, Cadifor, yr union beth. Gwasanaeth cyflawn a chyflym am bris rhesymol.'

'Beth dâl dy fusnes, felly?'

'Ma' gen i gêm.'

'Pa fath o gêm?'

'Gêm i ddynion, a dynion yn unig.'

'Y loj?'

'Yn anuniongyrchol.'

'Pam dynion?'

'Dyfala 'rhen goes.'

'Wahŵ! Rwyt ti'n dechrau callio.'

'Wedi hen gallio.'

'Llofft ffrynt ynta'r llofft gefn?'

'Llwyfan.'

'Amhosib. Dyna un peth na fûm erioed yn euog ohono, caru'n gyhoeddus. Nid er mwyn fy hysbysebu fy hun, Jabulon, nid er mwyn hynny, os gweli di'n dda. Na wyped dy law ddehau beth a wnâ dy law aswy. Dyna egwyddor cariad, a haelioni, rhoi o'r galon, rhoi â'th holl enaid.'

'Wyt ti'n fodlon rhoi? Wyt ti'n fodlon boddhau fy chwantau i?'

Gwelodd Jabulon fod ysgwyddau Cadifor yn codi a disgyn mewn ymchwydd cyffrous, a sylwodd ar ei draed yn symud yn araf, araf, yn nes tuag ato. Rhoddodd un cam brysiog tuag yn ôl, a gwenu'n siriol ar Cadifor. Roedd y pen praffaf i'r ffon yn gadarn yn ei law.

'Rydw i'n awchu am yr hyn y gelli di ei roi i mi, Cadifor, ac mae'n rhaid i mi gyfadda ger dy fron di rŵan mai chdi ydi'r unig un fedar ddiwallu f'angan i.'

'Wahŵ! Mae'n amlwg i ti gael mwy na'r fendith arferol yng ngwasanaeth derbyn y Gyfrinfa, a bod hudlath ddewinol y Teilydd, megis hudlath Gwydion gynt, wedi taenu peraroglau serch ar dy betalau. I ble'r awn ni Jabulon, jwcs?'

'I'm swyddfa i. Fe gawn ni heddwch yn fan'no. Tyrd 'laen.'

A chan faint ei gyffro, bu ond y dim i Jabulon afael yn llaw ei gydymaith merchetaidd, wrth ruthro fel sgyrsion ar draws y dref i'w swyddfa, ac at y chwyldro.

⋆ ⋆ ⋆

Gwyddai Cadifor yn awr fod gŵr Bwlch Mawr wedi ei dwyllo, ac iddo'i hudo fel pryfyn twp i'w we. Ond blacmel? Pwy feddyliai y gallai'r llipryn llwyd yma wau cynllun mor ddi-feth o amgylch pechodau a blysiau gorffennol un gwrwgydiwr bach digon di-nod? Golygu nofel gan rhyw Lydäwr? A rhoi'r Fedal, *y* Fedal, iddo? Harri yn Walton, ac yntau, perchennog Gwasg Sycharth, Beirniad Llenyddol, Teilydd Cyfrinfa Eryri, a chyfaill mynwesol (yn llythrennol felly) i lu o Orseddogion adnabyddus, yn gorfod dioddef y gwarth o weld cyhwfan yr oll o'i ddillad budron gan wyntyll y Wasg Gymraeg a ffustiau llawr dyrnu'r llenorion. Doedd dim ffordd ymwared, ond yn unig eiddo'r sarff a'i hudodd â'i haddewidion twyllodrus, ond a fynnodd iddi ei hun y man gwyn man draw, a'r wlad a lifeiriai o laeth a mêl — a menig gwynion!

20

Arfer Gorsedd y Beirdd a Chyngor yr Eisteddfod yw chwilio am rywbeth newydd a thrawiadol yn flynyddol, ac yn Eisteddfod Genedlaethol Frenhinol Cymru, Creuwyrion a'r Cyffiniau, newidiwyd peth ar drefn y gweithrediadau. Cynhaliwyd Seremoni Coroni'r Bardd, fel arfer, ar y pnawn Llun, ond methwyd â chael bardd a deilyngai'r anrhydedd.

Ar gyfer yr ail brif seremoni, Seremoni'r Prif Lenor Rhyddiaith, symudwyd y seremoni rwysgfawr, ddiwerth a diflas, '*Seremoni Croesawu'r Dirprwywyr Cenhedloedd Celtaidd*', o bnawn Llun i bnawn Mercher. Teimlid, wedi apêl daer gan Gyfreithiwr y Cyngor, Robert Daniel, a beirniaid y gystadleuaeth, y byddai hyn yn ychwanegu at urddas a phwysigrwydd yr amgylchiad. Byddid hefyd yn ategu'n ymarferol a gweladwy honiad ffuantus y Prifeirdd eu bod yn dymuno rhoi yr un statws i'r Prif Lenor ag a roddir i'r Bardd Coronog a'r Bardd Cadeiriol. A byddai hefyd, efallai, yn denu rhagor o wylwyr teledu i sinderela'r prif seremonïau. Y gwir amdani oedd nad oedd ar y beirdd ei heisiau.

* * *

Gwawriodd y diwrnod yn hyfryd, yr haul fel pelen o dân yn y bore bach. Torrwyd ar ddistawrwydd tangnefeddus llethrau Foel Grintach gan goethi bywiog boreol Pero'r Bwlch Mawr yn cael ei ollwng i'r Cae Dan Tŷ gan feistr oedd yn llawn cyffro. Synhwyrai'r hen gi fod rhywbeth mawr ar droed.

Cerddodd y ddau cyn belled â'r Farclodiad, ac yno, ar lasiad y dydd, ei ddydd mawr o, y rhannodd Jabulon Jones ei gyfrinach anhygoel ymysg y meini mawrion. O agennau tywyll y creigiau, daeth lleisiau dieflig yn atseinio clodydd yr un a fu'n gydymaith oes i'r Gawres hyll a'i hangylion, corws cras yn ceisio clodfori camp celfyddyd. Onid yma, yn hafan yr hafau hirfelyn, y lluniwyd lledrith a llesmair? Onid yma, yng nghwmni'r Gawres a'i thylwyth y lluniwyd Llenor dieilfydd o groth y creiglethrau cramennog? Onid yma, flynyddoedd y locust, y ffurfiwyd embryo ac egin celfyddyd? Oni wireddwyd daroganau canrifoedd yng nghamp arobryn gŵr y Bwlch Mawr?

Ac nid cyn i chwiban gyhyrog Dawn Angel ei alw i frecwast y brasgamodd Jabulon Jones yn hyderus i lawr y llethr, a'r ci yn dynn wrth ei sodlau.

* * *

Roedd Dawn Angel yn rhy dwp i geisio cael achlust o'r hyn a gorddai ei phriod, gan i hwnnw, yn gywir ddigon, ragdybio y buasai hi â'i dylni cynhenid wedi gollwng y gath o'r cwd i rywun yn rhywle. Ni allai, ac ni fyddai, yn deall arwyddocâd ei gamp aruchel. Cymerodd yntau arno iddo brynu'r ddau docyn ymlaen llaw, a'i fod am fynd i mewn i'r Pafiliwn Mawr am y tro cyntaf yn ei fywyd, i glywed beirniadaeth cystadleuaeth y Fedal Ryddiaith, oherwydd bod brawd i Harri Han'bag, un o'i gyd-Seiri, yn un o'r beirniaid.

Gydol y bore bu'r ddau yn cerdded o babell i babell, ac o baned i baned, yn cwyno am bris popeth. Cyfarfu Jabulon ag amryw o'i hen gydnabod. Ysai am gael dweud ei gyfrinach wrthynt, yn arbennig y rheiny o ddyddiau coleg y collodd nabod arnynt. Ac o'r mynych ysgwyd llaw, synnodd gymaint o'r myfyrwyr hynny fu mor uchel eu cloch dros Gymru a'r Gymraeg chwarter canrif ynghynt, oedd erbyn heddiw, fel yntau, yn argyhoeddedig fod gan gymdeithas gudd y menig a'r ffedog gymaint dylanwad ar ffyn llithrig ysgolion gyrfaoedd.

Pentecosteiddiwyd Jabulon Jones â rhyw hyder rhyfeddol, hyder a ymylai ar fod yn ddim llai na digwilydd-dra noeth. Siaradodd â'r Archdderwydd a'r Cofiadur fel petai'n hen lawiach â hwy. Ond buan iawn y bu'n rhaid iddo chwilio am esgus i'w gwadnu hi pan ddechreuodd y rheiny drafod materion amgenach na'r tywydd a chyfleusterau'r Maes, yn arbennig feirniadaeth cystadleuaeth y Goron ddeuddydd ynghynt. Wnâi aros a smalio trafod ond amlygu anwybodaeth lwyr y darpar Brif Lenor.

O, mor araf y ciliai'r amser, pob munud fel deg, a phob awr fel diwrnod. Edrychai ar ei wats yn aml a rheolaidd, a phan ddaeth yn un o'r gloch, wedi'r hirymaros tragwyddol, ymwahanodd oddi wrth ei briod, gan drefnu i'w chyfarfod drachefn 'mhen yr awr wrth un o ddrysau y Pafiliwn Mawr. Aeth yntau'n awr i'w ffordd i ymbaratoi ar gyfer awr fwya'i fywyd.

Doedd fawr o awch bwyd arno, er y gwyddai y byddai'n bur fain arno erbyn amser te. Cordeddai ei holl ymysgaroedd, ac roedd ei feddwl a'i reswm yn dryblith ac yn drybestod. Doedd ganddo ddim syniad sut i ymarweddu wyneb yn wyneb â phobl. Roedd bron â thorri ei fol eisiau dweud wrthynt. Ond doedd wiw iddo. Dyna pam yr aeth i ymguddio'n gynnar, gan eistedd, gyda'i ddwy frechdan siwgwr a'i botel *Vimto*, ar y glaswellt tu ôl i Babell y Cymdeithasau, yn gwrando drwy'r pared ar gyfarfod a gynhelid gan Gymdeithas yr Iaith. Testun y drafodaeth arbennig a glywodd oedd, yn addas ddigon, diffyg didwylledd ac onestrwydd mewn gwleidyddiaeth Gymreig. Cytunai Jabulon Jones yn llwyr â'r oll o'u cyhuddiadau, a synnai'n arw fod gwleidyddion, bach a mawr, yn gallu bod mor gynddeiriog o ddauwynebog a thwyllodrus. Pam. o pam, na fedrai pobl fod yn debycach iddo fo, yn llwyr gysegru'i fywyd . . .

Edrychodd ar ei wats a gwelodd ei bod hi wedi troi ugain munud i ddau. Cododd, gan sadio'i hun â'i law ar ffens derfyn Maes yr Eisteddfod. Gwelodd y bobl yn tyrru i'r Maes yn eu cannoedd, pobl a fyddai o fewn yr awr yn canu clodydd llenor newydd ac eilun y dyfodol. Corddai ei feddwl a'i stumog, ac fe'i mentrodd hi am y ceudai tu ôl i Babell y Bwrdd Iaith. Teimlai grothau'i goesau a'i bengliniau yn crynu ac yn gwegian wrth iddo ymdrechu i'w godi ei hun i fyny'r pedwar gris pren, a theimlai ei stumog yn simsanu fesul eiliad wrth i ryferthwy'r arogl piso eisteddfodol ei gyfarfod yn y drws agored. Cael a chael fu hi i gau drws y cuddigl crynedig, a'i draed ansad yn llithro ar leithder pislyd y llawr orcloth anghynnes. Bwriodd holl gynnwys ei geubal i'r ceudwll islaw.

Teimlodd yn well wedi'r paratoad arferol hwn, ac aeth allan yn larts i gyfarfod â Dawn Angel wrth ddrws y Pafiliwn.

21

Siom iddo oedd sylweddoli nad oedd y lle dan ei sang. Sylweddolai, fodd bynnag, fod hanner awr dda tan y Seremoni, a dechreuodd ei galon gyflymu unwaith eto wrth iddo weld gwŷr y llwyfan, a gwŷr y teledu, yn gwau 'mysg ei gilydd yn blith-drafflith ar gyfer cyflwyno gorchest unigryw y Llenor i'r genedl gyfan.

Wrth ei ochr, yn swat, eisteddai Dawn Angel. Rhagwelai hi bnawn digon diflas, yn gwrando ar bethau nad oedd ganddi rithyn o ddiddordeb ynddynt. Gallai fwynhau cerdded o amgylch y Maes a chyfarfod hwn ac arall, yfed paned fan hyn a phaned fan draw, a rhoi ei thrwyn mewn ambell i babell. Doedd eistedd am awr i wrando ar feirniadaeth lenyddol ddim at ei dant hi rhywsut. Ni choleddai Dawn Angel unrhyw dueddiad at bethau llenyddol. Daeth â'i gwau hefo hi.

Ar archiad yr Arweinydd Llwyfan, caewyd y drysau am chwarter wedi dau, ac eisteddodd pawb yn ddisgwylgar-lonydd i wrando ar draethiad lledieithol ac ymhongar beirniad Llundeinig yr unawd *mezzo-soprano*. Gwobrwywyd pladras frestiog, o un o gymoedd y de yn ôl y cyflwyniad, ac fe aeth braidd yn rhy agos i'r meicroffon i ddatgan wrth yr Arweinydd Llwyfan ei llawenydd o ennill, a hynny yn Saesneg crand y *Royal Academy*.

Daeth distawrwydd rhyfedd i lenwi'r Pafiliwn wedi i ddyn teledu weiddi 'Tri munud!' Nhw, bobl y cyfryngau, wedi'r cyfan, sydd piau'r Eisteddfod. Seiniwyd ffanffer o gefn y Pafiliwn, ffanffer gref a chroyw i ddeffro'r gynulleidfa swrth, ac yn arbennig luddedig dorf y Gorseddogion ar y llwyfan, oedd yn ymgorfforiad teilwng o'r '*Blin ym mhob cwr, cyflŵr caeth*,' a agorai Gywydd Gorymbil Iolo Morganwg.

Gorymdeithiodd rhengoedd uchaf Gorsedd Beirdd Ynys Prydain drwy'r gynulleidfa, gan dybied fod yr holl barêd yn rhywbeth cynhenid Gymreig. Bu bron iawn i Dawn Angel a gofyn i'w gŵr ble roedd y camelod.

Cyrhaeddodd yr Archdderwydd y llwyfan, a llifodd y goleuadau cryfion fel haul canol dydd ar yr holl garafán las-gwyrdd-a-gwyn, i gymeradwyaeth gynnes y gynulleidfa hygoelus.

Llusgodd Merddwr Merswy O.B.E., pymtheg a phedwar ugain mlwydd oed, at y meicroffon i offrymu'r weddi dderwyddol, ac fe'i lediodd â llais a swniai fel petai ei berchennog wedi stwffio papur tywod neu gols lludw i'w larincs. Chafodd yr hen gono fawr o wynt dan ei adain, a rhwng gwich ei fegin, a'r donyddiaeth ryfeddol — o leia' tôn gyfan yn fflat — ni chafwyd na'r moddion gras na'r nawdd na'r nerth na'r deall na'r gwybod disgwyliedig o orsedd nefol gwrthrych cyflwyniad *molto adagio* yr alltud cyfoethog hwn. Cyfiawnheid ei ymddangosiad trwy i'w hen daid fod yn gyfaill i Bedr Fardd, a'i fod yntau'r Merddwr O.B.E., adeiladydd cefnog, wedi cyfrannu'n dra haelionnus i Gronfa'r Mil o Filoedd.

Llefarodd yr Archdderwydd, a'i lais oraclaidd yn treiddio i bellafoedd pafiliwn ei dyrfa anweledig.

'Gyd-Eisteddfodwyr a Chyd-Gymry, wele ni yn ymgynnull yn y Pafiliwn hwn heddiw i anrhydeddu, os oes teilyngod, Brif Lenor Rhyddiaith yr Ŵyl Genedlaethol. Ond cyn dod at y feirniadaeth hollbwysig, rydym am groesawu i'n plith gynrychiolwyr o'r Gwledydd Celtaidd, ac o Orseddau cyfatebol y gwledydd hynny.

O'r *Mod*: Robert Roy a Marian MacIntyre.

O'r *Oireachtas*: Paddy Murphy a Fanny O'Flaherty.

O'r *In Chruinnacht*: T.T. Norton a Douglas Mann.

O Gernyw: Bardd Mawr Looe a Penelope Ashdown.

O Lydaw: Bardd Main Gweillan a Gonideg ar Goffig.'

Ni wrandawai Jabulon ar y cyflwyno. Chlywodd o mo'r enwau. Roedd mewn cythraul o stryffig yn ceisio'i orau glas i ddistaenio, â'i hances boced goch, y sug fferins *Victory-V* oedd wedi llithro'n ddirybudd o'i enau ar ei dei a'i falog. Byddai'n drychineb petai'r genedl yn ei weld mewn cyflwr mor ddi-lun. A doedd wiw iddo ddatgelu gwir ystyr ei bryder wrth ei wraig. Gweddïodd am i aer poeth y Pafiliwn ei waredu'n ddiymdroi o'r cyfryw *embaras*, ond ni ddaeth i'w feddwl cythryblus y byddai Meistres y Gwisgoedd wedi ymorol am orchuddio'r gwrthuni tramgwyddus â chlogyn ysblennydd. Dyn di-glem oedd Jabulon Jones.

Aeth y Seremoni rhagddi, ac yn ôl ei arfer, ymyrrodd Huwcyn Cwsg â chyflwr y gynulleidfa swrth tra rholiai Bardd Mawr Looe ei Gernyweg ail-iaith, a'i un frawddeg Gymraeg annealladwy. Fe'i cymeradwywyd yn siriol, a diolchodd yr Archdderwydd yn llaes iddo am anerchiad huawdl mewn iaith mor goeth a chaboledig.

'Pleser gennyf yn awr yw galw ar dri beirniad cystadleuaeth y Fedal Ryddiaith i'r llwyfan.'

Ystwyriodd y gynulleidfa rhyw gymaint a moelodd Jabulon ei glustiau, fel sgwarnog yn codi cyfarthiad pell bytheiad.

'Rhowch groeso felly i'r ddau ŵr doeth, Moses Hughes a Chadifor Walters, a'r un wraig, Myfanwy Havana Trumper. Moses Hughes fydd yn traddodi'r sylwadau a'r dyfarniad.'

Aflonyddai Jabulon fwyfwy wrth sylweddoli bod ei foment fawr ar gyrraedd ac y byddai'n rhaid iddo godi gerbron y miloedd addolgar, pobl y Pafiliwn a'r teledu. Llifodd amheuon, a'i bechod anfaddeuol, drwy ei feddwl simsan a dechreuodd ei goesau grynu. Teimlai ei ddwylo a'i draed yn oeri'n gyflym, a'i galon yn prysur suddo'n is na'i lengig. Teimlai na fedrai sefyll pe rhoddid y byd iddo. Fe'i llanwyd â braw, ac fe'i llethwyd ag arswyd. Gwaredai yn ei galon rhag i'r beirniaid, trwy ryw ffawd, roi tro annisgwyl yng nghynffon ei gynllwyn, gan ei wneud yntau o fewn ychydig funudau yn gyff gwawd a dirmyg cenedl gyfan. Teimlai ei hun ar erchwyn dibyn, a'r wasgfa fwyaf erchyll yn ei oddiweddyd. Suddodd yn is ac yn is i ymwybod afreal a synhwyrai fod Moses Hughes, fel Barnwr y Dydd Mawr Diwethaf, er na wrandawai arno, ar fin dinoethi ei holl bechodau gerbron yr Orsedd Lân. Bellach, gwyddai mai mefl, nid medal, oedd ei ran a bod y medelwr â'i bladur anhrugarog ar fin medi ei ysgub olaf. Yn ei argyfwng eneidiol, penderfynodd adael y Pafiliwn, ond ni fedrai syflyd llaw na throed. Roedd hi ar ben arno.

' . . . ac felly, gyd-eisteddfodwyr a pharchus Orseddogion, rhaid cytuno i anghytuno. Methasom â darbwyllo Miss Trumper fod yma deilyngdod. Roedd hi, fel y crybwyllais, am atal y Fedal. Ond mae fy nghyd-feirniad dysgedig a minnau'n unfryd-unfarn fod yma deilyngdod, a bod gwlad y menig gwynion o hyd yn gallu cynhyrchu llenorion o'r radd uchaf. Mae 'nghydwybod i, a chydwybod Mr Cadifor Walters, yn gwbl dawel heddiw'r prynhawn wrth gyhoeddi bod yna enillydd i Fedal Ryddiaith Eisteddfod Genedlaethol Frenhinol Cymru, Creuwyrion a'r Cyffiniau, mil naw naw pump. Arwisger yr awdur â'r aur. Rhowch y clod a'r anrhydedd i *Jude*.'

Oni bai iddo dderbyn recordiad fideo wythnos yn ddiweddarach

— trwy garedigrwydd S4C — o'r holl seremoni, fyddai'r Llenor buddugol ddim wedi cofio'r un eiliad o'r digwyddiadau anhygoel ddilynodd y dyfarniad. Oddigerth un wyneb. Seriwyd hwnnw'n annileadwy ar ei feddwl a'i gof.

Gyda chymorth gallodd sefyll, ac fe'i gwisgwyd yn briodol gan Feistres y Gwisgoedd a'i gosgordd. Methai Dawn Angel yn lân â deall beth oedd yn digwydd, ond fe sylweddolodd yn bur sydyn, gyda chymorth gwraig garedig o'r gynulleidfa, fod ei gŵr, ac enw da teulu Bwlch Mawr, ar fin cael eu hanrhydeddu â phrif lawryf llenyddol y genedl. Gwasgodd law oer, grynedig, Jabulon, cyn i'r Arwyddfardd brith-lwyd blin-Brydeinig hebrwng ei chymar athrylithgar tua'r llwyfan eang.

Ei lusgo dan geseiliau dau Ddistain Gwyn fu tynged Jabulon, a'r gynulleidfa lawen yn mynegi ei gwerthfawrogiad o'i orchest yn y ffordd ddi-chwaeth arferol o gynorthwyo'r organydd i gadw curiad cyson i'w ymdeithgan. Grwgnachai'r Arwyddfardd dan ei wynt, nad oedd y Llenor yn cadw urddas yr Orymdaith gyda'i gerddediad afrosgo. Stampiai'r llawr fel ceffyl syrcas, gan ymorol dal ei ben i fyny'n frenhinol-fawreddog. Gŵr militaraidd oedd yr Arwyddfardd, â bataliwn o anrhydeddau ymerodrol i'w enw.

'*Come on, old boy, come on . . . Left, Right, Left, Right, Left . . .* ', yr holl ffordd at risiau blaen y llwyfan. Teimlai Jabulon ddyfnlais yr Arwyddfardd yn ei garcharu yn ei ofnau ei hun . . . *Left, Right, Left . . . byddinoedd byd am ei waed . . . Left, Right . . . rhwng Pi-hahiroth a Baal-seffon . . .*

'Enw Prif Lenor Rhyddiaith Eisteddfod Creuwyrion a'r Cyffiniau, mil naw naw pump, ydi . . . Jabulon Jones, o Laneilfyw, Arfon. Fe'i addysgwyd yn Ysgol Gynradd Llaneilfyw, Ysgol Ramadeg Creuwyrion, a Choleg y Brifysgol, Aberytwyth, lle graddiodd yn y Gyfraith.'

Ar hyn clywodd Jabulon ebychiad a rheg arswydus yn rhwygo awyr denau'r Pafiliwn o gyfeiriad seddau'r Cynrychiolwyr Celtaidd, ac edrychodd tua'r fan er cael eglurhad i'r fath ymddygiad anghwrtais. Pwy faidd darfu ar awr fawr Prif Lenor? Pwy faidd daflu huddug i'w botas?

Yna fe'i gwelodd! Y trwyn anferth a'r locsyn cringoch, a'r llygaid melltithiol melltennog yn gwanu i'r byw. Goff! Goff, y Llydäwr! Gonideg ar Goffig, gwir awdur ei gampwaith arobryn!

Gyda'r drychfeddwl dychrynllyd fod popeth ar ben arno, a'i fyd ar ddymchwel unrhyw funud, a hynny yng ngŵydd cenedl gyfan lygadrwth, aeth ei ymennydd ar chwâl a daeth drychiolaeth ar ôl drychiolaeth i'w blagio.

Gwelodd y Gawres Gwrga a'i hangylion yn esgyn i'r llwyfan, ac yn ymffurfio'n rhengoedd bygythiol y tu ôl i'r Llydäwr. Yn ei llaw roedd morthwyl trwm, a chariai ei gosgordd faen melin anferth. Gwisgent ffedogau addurnedig a menig gwynion, a'r rheiny wedi eu staenio â gwaed. Bloeddiodd y Gawres dros y Pafiliwn, nes crynu'r holl le.

'Pwy bynnag a syrthio ar y maen hwnnw, a ddryllir: ac ar bwy bynnag y syrthio, efe a'i mâl ef.'

Diffoddodd rhai o'r goleuadau, ac yn raddol pellâi y lleisiau, yn gymysgedd rhyfedd o farn a moliant.

'Yn ŵr blaenllaw yn ei ardal . . . *y naill a gymerir, a'r llall a adewir* . . . llenor newydd a rydd obaith newydd i'r hen Gymraeg . . . *canys pob un a'r a'i dyrchafo ei hun, a ostyngir* . . . mae heddiw'n eistedd ar ei orsedd, a'r Fedal yn eiddo iddo . . . *canys nid oes dim cuddiedig, a'r nas datguddir; na dirgel, a'r nis gwybyddir* . . . ac wedi'r hir ddisgwyl, datgelwyd i genedl gyfan fod teilyngdod . . . *summa cum laude* . . . a bod y teilyngdod hwnnw'n cael ei ddyrchafu ger eich bron . . . *ond yr us a lysg efe â thân anniffoddadwy* . . . '

Aeth y tarth yn wyll, a'r gwyll yn gaddug, a'r caddug yn ddunos, a sugnodd i'w hanfod warthrudd Jabulon Jones. Caeodd y nos yn llwyr amdano gan roi terfyn, disymwth i'w ryfeddu, ar brif seremoni rhyddiaith Eisteddfod Genedlaethol Frenhinol Cymru, Creuwyrion a'r Cyffiniau, mil naw naw pump.

22

Treuliodd y Llenor y noson honno mewn anhunedd ar wely poeth yn Ysbyty Cyffredinol tref Creuwyrion, gan ddisgwyl yn anniddig am doriad gwawr, a'r farn a ddeuai yn ei gôl.

Cynt y cyferfydd dau ddyn na dau fynydd, myfyriodd yn ddwys, gan geisio ail-greu ac ail-fyw digwyddiadau hunllefus y diwrnod blaenorol. Er pob ymdrech, ni fedrai yn ei fyw ddileu'r lleurith bygythiol o drwyn mawr a locsyn coch o'i feddwl cythryblus, a deuai hwnnw'n ôl, drachefn a thrachefn, i'w aflonyddu.

Gwyddai, bellach, iddo gyrraedd pen ei gŵys, ac o fwrw trem wrthrychol arni, drach ei gefn, sylweddolodd ei bod mor gam â chryman medi ei dad. Gwyddai y byddai papurau newyddion y bore hwnnw yn llawn o hanes y twyll, a'i enw'n serennu'n ffiaidd gerbron yr holl fyd.

Daeth nyrs ifanc ato, a gwenu'n siriol arno.

'Teimlo'n well, Mr Jones?'

'Yn gorfforol, ydw diolch. Ond fel arall, digon llegach ydw i.'

'Brensiach! A chitha â'ch llun ym mhob papur y bora 'ma!'

O, nefoedd! meddyliodd Jabulon, mewn gwewyr meddwl annisgrifiadwy, *mae hi ar ben arna' i!*

Trodd ei ben yn araf i wynebu'r nyrs, gan ofyn iddi â llais bloesg, 'Ydi pawb, felly, yn gwbod?'

'Gwbod? Wrth gwrs 'u bod nhw'n gwbod. Mae pawb yn sôn am y peth. Y peth 'gosa gafwyd rioed i Gada'r Ddu Byrc-in-hed. Meddyliwch mewn difri. Prif Lenor y genedl yn llewygu yng ngwres a chyffro'r Pafiliwn, a phawb yn meddwl ei fod o wedi marw. Yr Archdderwydd yn taenu ei fantell ar y gadair a'r Fedal, a'r dorf fawr yn uno i ganu "*Bydd myrdd o ryfeddoda*". Mam bach, sôn am ddagra! Mi roedd yna le!'

'Ond beth am y Llydäwr?'

'Pa Lydäwr deudwch? Ylwch, Mr Jones bach, peidiwch â mwydro wir. Rydach chi wedi cael hen sgeg digon annifyr, ond ma'r meddyg yn deud bod eich calon chi yn Ê Wan. Sgynnoch chi ddim byd i boeni o'i blegid. A meddyliwch mewn difri calon, eich bod chi'r bora 'ma yn arwr cenedl gyfan.'

Diflannodd y felan fel cicaion Jona, ac eisteddodd Jabulon yn dalog yn ei wely cysurus. Ond bu bron iddo â throi'r drol hefo'r nyrs garedig. Yn ei lawenydd meddyliodd am afael yn ei llaw i'w gwasgu, ond gan ei fod wedi ffrwcsio cymaint, yn gwbl ddifeddwl, aeth ei law o dan lifrai cannaid y fun, gan wasgu dyrnaid o glun yn chwareus.

'Mr Jones, rhag c'wilydd i chi,' protestiodd y nyrs mewn llais siriol, gan wenu arno. 'A chitha'n ŵr priod, a rŵan, yn ddyn enwog.'

Twtiodd hithau rhywfaint ar ei ddysglaid o rawnwin a'i *Lucozade*, a rhoddodd y cwpan-dannedd-gosod o'r golwg yn y locer. Yna ciliodd at wely'r claf drws nesa.

Caeodd Jabulon ei lygaid. Gwenodd, a dechreuodd hel meddyliau. Roedd y Fedal yn ddiogel, felly, ac yn ôl pob argoel, os gwir geiriau'r nyrs, ni chaed unrhyw awgrym nad ef oedd awdur y gyfrol fuddugol. Sôn am ollyngdod! Sôn am ddod o le cyfyng! Câi bellach yfed y clod, a mwynhau gweddill yr Eisteddfod. Câi daro'n fwriadol ar enwogion byd llên wrth rodianna'r Maes, â'i Fedal am ei wddf. Câi eu galw wrth eu henwau bedydd.

* * *

Gwenodd Dawn Angel o glust i glust wrth iddi lusgo'i dau fab anystywallt, Winston a Thoby, i mewn i'r ward lle gorweddai'r Prif Lenor. Cyfarchodd yntau hi a'r hogiau â chusannau brwd. Roedd ar ben ei ddigon.

Teimlai'n gynnes iawn tuag at ei deulu'r funud honno. Er gwaetha'i diffygion, bu Dawn Angel yn wraig ufudd iddo. Doedd hi ddim yn biwti o bell ffordd, ond beth oedd yr ots am hynny. Caru'r encilion oedd ei gwir rinwedd, ac ni fyddai'n rhaid iddi fod yn gydymaith yn y cnawd iddo ar y mynych achlysuron llenyddol fyddai'n ei wynebu fel Prif Lenor. Cadw tŷ a chadw gwely yw braint pob gwraig dda.

'Rydan ni'n enwog fel teulu rŵan, Jab.'

'Ydw, yn enwog iawn. Dwi'n deall bod teimlada dwys wedi'u mynegi ar ôl i mi fynd yn sâl.'

'Pawb yn pitïo drostat ti, cofia, a phawb yn meddwl dy fo' ti 'di marw. A'r Archdderwydd yn deud mai chdi ydi Llywelyn ein duw Olaf . . . '

'Llyw Olaf.'

'Y?'

'Arweinydd olaf Cymru, gafodd ei ladd, a'i ddwyn i Rufain mewn cadwyna. Ac mae'n wir, wsti, mai fi ydi duw newydd Cymru, mewn un ystyr.'

'Ti rioed yn deud! Dïar annw'l, mi fu bron i mi ag anghofio. Yli be sy' gen i'n fa'ma.'

Rhoddodd Dawn Angel ei llaw yn ei bag, a thynnu ohono, gerfydd y rhuban glas, Fedal ysblennydd y Llenor. Gwridodd Jabulon hyd at fôn ei glustiau, a gofynnodd i'w wraig ei arwisgo â hi. Erbyn hyn roedd twr o gleifion a nyrsus edmygus wedi ymgynnull o amgylch y gwely, ac i'w cymeradwyaeth ddiffuant hwy, yno, ar wely a fu unwaith bron â bod yn wely angau iddo, yr arwisgwyd Prif Lenor Eisteddfod Genedlaethol Frenhinol Cymru, Creuwyrion a'r Cyffiniau, â'r Fedal hardd nas haeddai. A hynny gan neb llai na Dawn Angel, ei forwyn a'i wraig.

* * *

'Ydach chi'n siŵr, Robat Danial, ei fod o o ddifri? Fedra' i ddim credu r'wsut y basa'r cwd bach yn ddigon hurt i neud peth fel'na.'

'Ar fedd fy mhlant, Jabulon, ac ar fedd dy blant ditha. Dyna ddeudodd o wrtha' i, cyn wirad â 'mod i'n Gyfreithiwr yr Orsadd a'r Cyngor. Os na fydd y Fedal yna'n ôl yn llaw'r Archdderwydd cyn ganol dydd ddydd Sadwrn, mi fydd o'n cynnal ei brotest ddieflig. Faint o wir sydd yn ei honiada rhyfedd o, dwn i ddim. Y fo a chditha ŵyr hynny. Y cwbwl ddeuda' i ydi, ei bod yn ddyletswydd arna' i, yn rhinwadd fy swyddi efo'r Orsadd a'r Cyngor, i ymorol bod popeth mewn trefn, a bod cyfiawnder yn cael ei weinyddu.'

Suddodd Jabulon druan unwaith yn rhagor i gors anobaith. Caeodd y nos amdano drachefn.

'Rwyt ti mewn uffar o donnan, Jabulon, 'machgan i, mewn uffar o dwll, ac mae'r mochyn Llydäwr 'na yn ymddangos yn bur sicr o'i betha. Be dda'th trostat ti, d'wad?'

Hyd yn hyn, roedd Jabulon gyda chymorth ei dad gan amlaf,

wedi llwyddo i oresgyn problemau bywyd, a gwyddai fod ei gysylltiad personol diweddar â'r Frawdoliaeth yn ychwanegiad pwysig at ei arfogaeth. Wedi ychydig eiliadau o fyfyrio ar y posibiliadau, gorfu iddo ddod i'r casgliad mai llwybr seithug oedd llwybr y Gyfrinfa, gan nad oedd Gonideg ar Goffig, rhad arno, yn rhan o'r sefydliad. Dyna'r unig ddrws ymwared wedi ei gau'n glep yn ei wyneb.

Meddyliodd eilwaith. Meddyliodd yn ddwys.

Ac yno, yn nhawelwch afreal Ysbyty Cyffredinol Creuwyrion, gyda'r Fedal yn hongian yn llipa am ei wddf, a Chyfreithiwr Mygedol Cyngor yr Eisteddfod a Gorsedd Beirdd Ynys Prydain yn cildremio'n bryderus arno, yr esgorodd meddwl hir-ymarhous y llên-leidr ar gynllwyn beiddgar a phwdr a fyddai'n rhoi terfyn, unwaith ac am byth, ar branciau llamsachus y Llydäwr haerllug.

'Beth petai'r Orffiws yn tynnu'n ôl o gystadleuaeth y corau meibion ddydd Sadwrn? Fyddai hynny'n lles, tybad?'

'Fydda' wiw sôn gair am y peth wrth Caradog na'r un aelod o'r côr, er bod Jac Puw, dwi'n siŵr, yn ama' fod rhwbath ar droed. Mae'r diawl Llydäwr 'na yn bwriadu dy ddinoethi di a dy dwyll yn gyhoeddus gerbron y genedl gyfan, a chditha'n bresennol yn y cnawd, medda fo. A dyna pam fy mod i'n meddwl mai yn ystod y gystadleuaeth ddydd Sadwrn y digwydd hynny, os na fedrwn ni roi taw ar y cena' cyn hynny. Ond mae gen i ofn, Jabulon bach, mai cyfadda a thalu fydd raid i ti. Fedra' i mo dy helpu di'r tro yma, a finna'n Gyfreithiwr yr Orsadd a'r Cyngor.'

Mi mentra i hi, i'r diawl, meddyliodd Jabulon, gan gywain ei eiriau'n ofalus o ysguboriau ei gof.

'Ydi aelodau'r Orsadd a'r Cyngor yn gwbod eich bod chi, a chitha'n ŵr priod parchus ac yn dad i bedwar o blant wedi priodi, yn trin Awel Môn ers blynyddoedd, Robat Danial?'

Tynnodd y cyfreithiwr yn hir ar ei anadl, gan edrych, yn ei hyll, ar yr wyneb a gilwenai'n fuddugoliaethus arno oddi ar y gobennydd meddal.

Mynnodd Jabulon hongian yr holl gathod, a'r blwmeri budron, dan drwyn *Worshipful Master* Robert Daniel.

'Ydi aelodau'r Orsadd yn gwbod am y llwgrwobrwyo fu yna adeg achos Huw Foster a'r 'myrrath hefo genod Fform Tŵ?'

Crafodd ei 'sgrafell at y mêr.

'Ydi aelodau'r Orsadd yn gwbod bod eu Cyfreithiwr parchus

wedi twyllo hen wraig ddall o Laneilfyw pan oedd honno'n gwneud 'i hewyllys, ac wedi ysbeilio'i theulu hi o'i etifeddiaeth? Dwi'n cofio'n iawn, Robat Danial, dwi'n cofio'n iawn. E'lla nad o'n i'n rhyw lawar o dwrna bryd hynny, ond do'n i ddim yn ddall i'ch twyllo chi, beth bynnag.'

Oedodd am bum eiliad, tragwyddol eu parhad i'r Cyfreithiwr, cyn gofyn iddo,

'Ydach chi am fy helpu i, Robat Danial? Ydach chi am roi'r cymorth hwnnw y byddwch chi'n sôn amdano hefo balchtar yn oedfaon gwlithog y loj? Y?'

Plygodd Robert Daniel ei ben. Nodiodd, ond ni ddywedodd air.

23

Gorweddai Gonideg ar Goffig ar ei wely yn llofft y *Punchinello Arms*, Creuwyrion. Roedd ei wyneb yn ddrych o fileindra, a chynddeiriogai'n lân wrth gynllwynio dymchweliad y llên-leidr trahaus. Bu wrthi am oriau bwygilydd yn dychmygu'r hyn oedd i ddigwydd, drosodd a throsodd, drachefn a thrachefn, nes y teimlodd fod popeth bellach yn gysáct.

Aeth dros ddigwyddiadau'r ddau ddiwrnod diwethaf yn ei feddwl, gan geisio crynhoi y cyfan, fel cyfiawnhad i'w gasineb. Cofiodd fel y bu iddo ryw hanner amau, wrth glywed y beirniad yn rhoi crynodeb o blot y nofel fuddugol, mai ei nofel ef, *Chwyldro yn Celtika*, oedd y nofel honno. A rhywle, o ystafelloedd pellaf y cof, daeth iddo ddarlun lled-eglur, megis trwy ddrych mewn dameg, o wyneb gwelw a phlorynnog llipryn o brotestiwr colegol y bu mor ffôl â rhoi benthyg y cyfansoddiad iddo.

Diolch i'r drefn nad hwnnw oedd ei unig gopi. Roedd y drafft cyntaf yn dal yn ei feddiant, ac yn gorwedd, y foment honno, ymysg ei bapurau yn ei gartref yn An Oriant. Mater hawdd fyddai cadarnhau ei honiadau â thystiolaeth mor ddiriaethol a diymwad â hynny. Y penci powld! Os yw twyll fel hwn yn adlewyrchu cyflwr iaith a llên y Gymru gyfoes, os mai dyma'r Gymru sydd ohoni, gobeithio i'r nefoedd y trenga'n fuan.

Crwydrodd ei feddwl i Faes yr Eisteddfod ac i'r oriau hynny wedi'r seremoni drychinebus ar lwyfan y Pafiliwn. Bu'n crwydro'r maes, o babell i babell, fel pe mewn breuddwyd, yn aros i'r tymhestloedd a ymferwai o'i fewn, ostegu. Chwiliodd yn ddyfal am babell neu gymdeithas oedd â chysylltiadau lleol iddi, ac fe'i cafodd ei hun yn fuan yn ymgomio â pheriglor clên ym mhabell yr Eglwys yng Nghymru.

Cymerodd Goff arno fod ganddo ddiddordeb ym mywyd y llenor buddugol, a'i fod yn bwriadu llunio erthygl amdano ef a'i gefndir ar gyfer cyfnodolyn llenyddol blaenllaw yn Llydaw. Llyncodd y periglor yr abwyd yn syth, a gwrandawodd Goff yn astud arno'n tywallt ei gwd iddo, yn un llifeiriant o ffeithiau dibwys a myfiol. Glawiodd y cyfan yn gawodydd arno o enau llyfnion y Parchedig Ithel Robinson, Ficer Llaneilfyw, yr offeiriad grasol oedd mor falch o gael cyhoeddi mai fo fedyddiodd a phriododd Brif Lenor Prifwyl Creuwyrion.

Ni wyddai Ithel Robinson ddim am fwriadau na chymhellion y cochyn barfog a wrandawai mor astud arno'n brywela. Ni wyddai ychwaith fod y gath wedi neidio'n daclus o'r sach, ar lin ddisgwylgar y Llydäwr, pan ddywedodd, ymysg llawer o bethau eraill, fod Jabulon Jones yn aelod o Gôr Meibion yr Orffiws, Creuwyrion, a bod y côr clodfawr hwnnw'n cystadlu ymhen tridiau ar lwyfan y Brifwyl.

Byddai ei gynllun yn un beiddgar. Doedd dim amdani ond cyhoeddi i'r byd a'r betws, ar goedd gwlad, yn wyneb haul llygad goleuni, nad oedd y llenor buddugol yn ddim llai nag ymhonnwr a thwyllwr. Yr unig ffordd effeithiol i ddwyn ei fwriadau i ben oedd gwneud hynny oddi ar lwyfan yr Eisteddfod, pan fyddai Jabulon Jones ei hun yno hefyd. Collodd ei gyfle ddydd Mercher oherwydd gwendid pathetig dyn y Fedal, ond y tro hwn byddai'n sicr ei anel, ac yn benderfynol o sugno'i brae i'w rwyd. Nid oedd dihangfa i fod.

'*Nemo malus felix* . . .'

24

Disgwyliai aelodau ac arweinydd Côr Meibion yr Orffiws yn eiddgar am ymddangosiad eu harwr. Safent yno, ar sgwâr pentref Llaneilfyw, yn ddwy res solat a thaclus, o flaen tafarn yr *Emperor's Sun*, eu gyddfau eisoes wedi eu hiro ar gyfer rhoi cyfarchiad cerddorol teilwng i'w tywysog pan gyrhaeddai. Ar ymyl y pafin eisteddai Awel Môn ddisgwylgar wrth ei phiano agored.

Cerddai Felix Ratt 'nôl a blaen rhwng y côr a'r dorf swnllyd oedd wedi ymgasglu i roi croeso brenhinol i'r llenor buddugol. Sgwrsiai Robert Daniel yn ddistaw â chyfeilyddes y côr, sgwrsio a roddodd fod i fwy nag un sylw crafog o gyfeiriad Caradog a'i gantorion coeglyd. Ni wyddai'r un ohonynt mai'r peth pellaf o feddyliau y cyfreithiwr a'i ordderch y noswaith honno oedd 'chydig o branciau rhywiol tu ôl i'r piano. Roedd cynllwyn beiddgar yn yr arfaeth, a beddargraff un Llydäwr gwirion eisoes wedi ei dorri'n annileadwy ar fur teml Cyfrinfa Eryri. Ymunodd Ratt â'r deialog, gan daflu winc slei at Awel Môn, cyn ymuno â rhengoedd geriatraidd y côr ar archiad awdurdodol Caradog Morlais.

Cyrhaeddodd Jabulon Jones bentref ei faboed mewn steil, yn sefyll yn dywysogaidd yn nhrwmbal picyp brawd-yng-nghyfraith Harri Han'bag, a'r Fedal yn sgleinio ar ei frest estynedig yn llygad haul diwedydd o Awst. Wrth ei ochr safai Dawn Angel, Winston a Thoby. Ni fu rioed y fath gyffro yn Llaneilfyw, gyda'r dorf werthfawrogol yn bloeddio'i chyfarchion i'w harwr glew.

Cododd Caradog Morlais ei fatwn i'r awyr, gan roi nòd cadarnhaol i Awel Môn a'i phiano. Gwyddai am allu ei gyfeilyddes i gael y gorau, yn ddi-ffael, bob amser o'i hofferyn. Ni chafodd ei siomi y tro hwn chwaith. Waldiodd Awel yr *Intro* nes crynu muriau tai a thafarn pentref llonydd Llaneilfyw, a'r sŵn yn atseinio i lonni calonnau y llenor a'i deulu a'i gynulleidfa fel ei gilydd.

Nid oedd Côr Caradog yn nodedig am ei *entries*, a'r tro hwn eto, er dirfawr siom i'r *Maestro*, nid oedd unoliaeth yn y canu. Clywyd mwy nag un '*C*' yn clecian drwy'r cread, gyda'r côr, a'r cyfeilydd, a Crad ar wahân.

'Cenwch utgorn, mawr fo'i glod,
Dyma'r arwr dewr yn dod;
Dowch â'r dorch o lawryf gwyrdd,
Cenwch lawen geinciau fyrdd.'

Erbyn hyn bwriai'r cantorion iddi â'u holl egni, a chawsant wynt, a hwnnw'n wynt nerthol yn sgowlio'n beryglus, dan eu hadenydd. Â'i lawes chwith sychai Caradog y ffrydiau chwys oddi ar ei dalcen, tra cheisiai, â'i hudlath wen, unioni brasgamau ei denoriaid rhag colli ohonynt eu pennau'n lân. Trwy rhyw ryfedd wyrth, a chymorth drymiog cyson Awel Môn ar ei phiano, clöwyd y pennill cyntaf yn weddol gytûn.

Ysywaeth, ni chafwyd mo'r uchafbwynt disgwyliedig i'r ail bennill, y pennill a ganwyd — O! mor eangfrydig — yn Saesneg.

'See the conq'ring hero comes,
Sound the trumpets, beat the drums . . .'

Boddwyd y moliant gan hwtian aflafar corn picyp brawd-yng-nghyfraith Harri Han'bag, arwydd pendant i'r dorf adnewyddu'i thrwst. Aeth cyfeiliant Awel Môn druan gyda'r gwynt, ffustio didrugaredd Caradog Morlais yn ddi-wynt, a cherddoriaeth aruchel *Maccabaeus* Handel yn cael ei sarnu, a'i lwyr anwybyddu, gan fyddariaid anystyriol Cymry twp yr ucheldir. A phan ymunodd dyrnaid o rafins Llaneilfyw, ar eu ffordd o'r dafarn i'r dathlu, â chanu gogoneddus yr Orffiws, rhoddodd Caradog ei ffidil yn y to, a chaeodd Awel Môn gaead ei phiano ag andros o glec. Doedd dim encôr i'r hogia heno. Roedd y sylw i gyd ar gongrinero Eisteddfod Creuwyrion, mwnci pen pric yn nhrwmbal picyp brawd-yng-nghyfraith Harri Han'bag, meistr llên deillion anniwylliedig y Gymru Philistaidd.

* * *

'D ddddd . . d . . d . . d . . d'wrnod bbbyffffffgofiadwy i booooob un ohohohohohonan ni.'

Am y tro cyntaf erioed yn ei fywyd, roedd Salmon Jones wedi meddwi. Ni fu erioed yn llwyrymwrthodwr, a mwynhâi pob diferyn a roddid iddo, gan eraill, yng nghiniawau'r Frawdoliaeth yn y *Punchinello Arms*, Creuwyrion. Ond pan ddeuai'n amser iddo fo dalu, nid ei ddirwest yn gymaint, ond ei gybydd-dod, benderfynai hyd a lled ei frawdgarwch.

Ond roedd heno'n wahanol. Gwyliodd y cyfan o lofft ffrynt Lily Beef, a'r wreigdda wenieithus honno, gynt o Tunbridge Wells, yn gweini ei chysuron poethion arno'n ddi-baid. Am un noson yn ei fywyd, mentrodd Salmon Bwlch Mawr fystyn ei gydwybod a'i ddarbodusrwydd, ac anghofio'i ddirwest yn llwyr. Manteisiodd gwraig y llety i'r eithaf ar ei lithriad annisgwyl, ac aeth henwr naw a phedwar ugain ar hyd llwybr a fyddai, yn ôl ei fynych gyfymliw â'i fab, yn ei arwain i balmant y dref a distryw.

'O, Taid, be ddaw ohonach chi, deudwch? Dwn i ddim wir! 'Dach chi wedi pi-pi lond eich trowsus, ac wedi g'lychu soffa'r thrî-pîs newydd. O, ma' isio gras hefo chi, oes wir.'

Roedd Dawn Angel bron â chrio. Daeth gŵr y tŷ, Jabulon y Prif Lenor i'r adwy, gan lefaru o'r tu ôl i'w Fovril fel un ag awdurdod ganddo. Ceryddodd ei dad yn llym.

'Dyma chi wedi difetha 'niwrnod i, a diwrnod Dawn Angel a Winston a Thoby hefyd. Rhag y'ch cwilydd chi, 'nhad, yn dŵad i fa'ma i boitsian y dodrafn. Pam uffar na phiswch chi hyd ddodrafn y'ch blydi bynglo. Dowch wir — *on ddy dybl* — mi gewch y'ch cario adra yn y trelar. Dydw i ddim isio ogla'ch lwlod chi hyd giarpad 'y nghar, mwy na dwi 'i isio fo hyd giarpad a dodrafn 'y nhŷ. Dowch ddyn, 'da chi 'di difetha 'niwrnod i, do mwyn tad. Dowch wir!'

Aeth tu ôl i soffa wleb Salmon, rhoi ei freichiau dan ei geseiliau, a'i godi. Yna, gyda'i fraich dde dros ysgwydd Jabulon, a'i fraich chwith dros ysgwydd Dawn Angel, llusgodd y tad afradlon ei hun dros riniog y Bwlch Mawr i'r trelar â'i dygai i'w wely, ac at gur yn ei ben drannoeth.

Fu Jabulon fawr o dro cyn rhoi ei dad, fel yr oedd, i orwedd ar y soffa yng nghegin ei fynglo bach twt. Cofiodd, cyn ymadael, fod chwydu yn wendid teuluol. Gosododd y bowlen llestri budron, gan adael y llestri ynddi ran pryfôc, wrth ochr y soffa.

Ymhen llai na deng munud, neidiodd Jabulon a'i wraig yn noeth lymun groen i'w gwely, y naill am y cyntaf i anwesu a byseddu'r llall. Ac wrth i ŵr Bwlch Mawr ymbaratoi i'r olaf o uchafbwyntiau'r dydd, rhoddodd Dawn Angel wich fach ddireidus, er syndod i'w gŵr.

Gafaelodd yn dyner yn ei law a'i thynnu'n chwareus i lawr dan y gynfas, gan ei gosod yn daclus rhwng ei chluniau lled afliog. Teimlodd Jabulon ei fysedd yn cyffwrdd â rhywbeth crwn a chaled, a rhuban ynghlwm wrtho. Gwyddai i sicrwydd yn awr fod ei Fedal, ei Fedal o, yn ddiogel rhag pob lleidr a gelyn.

25

Gwawriodd bore gogoneddus Sadwrn Eisteddfod Genedlaethol Creuwyrion a'r Cyffiniau, a chododd haul llachar i fwrw'i danbeidrwydd ar fôr a mynydd. Cododd Jabulon yntau yn gynnar, ond yn gwbl ansicr ei fyd. A fyddai'r oll o'r darnau, tybed, yn disgyn i'w lle?

Gwisgodd amdano, ac aeth â'r ci i'r caeau. Yn reddfol canfu ei hun yn ei 'nelu hi am Farclodiad y Gawres, ac fel y nesaodd at y pentwr meini trymion, gallai deimlo'r awyr yn trymhau, a'r pwysedd gwaed yn ei ymennydd yn codi o gam i gam. Roedd rhyw rym goruwchnaturiol yn cerdded caeau'r Bwlch Mawr y bore hwnnw o Awst, a chrynai'r ddaear ar ei ddyfodiad.

Yn ddisymwth fe'i cyfarchwyd gan ruad annaearol yn nofio drwy darth y bore o gyfeiriad y meini bygythiol. Arhosodd ennyd ar ganol y cae, gyda'r bwriad o ddychwelyd i'r tŷ i ddeffro'n iawn. Ond ni fedrai syflyd llaw na throed. Roedd ei draed a'i goesau fel petaent wedi eu troi'n blwm.

Yna, trodd y rhuo'n sŵn wylofus, ac yna'n ganu pruddglwyfus. Gollyngodd Jabulon ochenaid ddofn, a cherddodd yn ei flaen â Phero wrth ei gwt. Roedd rhyw brofiad cyfareddol ar fin dod i'w ran, a gwyddai, yn ei galon, fod y Gawres, ei Angyles Warcheidiol, yn ôl yn ei phreswylfod, ac yn disgwyl amdano. Yn ddefosiynol, penliniodd y Prif Lenor ar gwr y Farclodiad, ei ddwylo ymhleth a'i lygaid ynghau. Yno, yng ngwawr olau'r unigeddau llwm, yr offrymodd Jabulon Jones ei weddi, gweddi oedd yn gyforiog o'r delweddau dryslyd a chymysg a luniai ac a lywiai ei fywyd. Roedd yn weddi daer.

Arglwyddes y Cread, Lluniwr a Phensaer y Bydysawd, a Ffynhonnell pob Daioni, dyro dy nawdd, a'th nerth, a'th ddeall, yr awr hon i eiddil gwan sydd yn crwydro crindir cras Cymru, Gwlad y Menig Gwynion. Nid i ni, O Arglwyddes, nid i ni, ond i'th enw Dy Hun dyro ogoniant, ac i'r Hon sydd â bidog a chwmpas yn ei llaw, yr Un sy'n gwybod y cyfiawn ac yn ei garu. Dyro i mi gyfran o d'anian bur. Moes yma dy law i'm hebrwng yn ddihangol trwy ddyrys droeon fy ngyrfa gythryblus, trwy ingoedd geirwon cenfigennau a chasinebau gelynion, i orfoledd dy gariad dwyfol, ac i wlad sy'n llifeirio o laeth a mêl. Gwyn fyd y rhai a ymddiriedant ynot, ac a geisiant dy wyneb, a chadernid dy law. Amen.

Distawodd y canu ac ymdawelodd yr ymbiliwr. Caeodd ei lygaid yn dynn, dynn gan sugno i'w enaid holl orthrwm hylwyth y bore tyngedfennol hwnnw. Teimlodd y tyndra'n llacio, a gefynnau arteithiol ei wewyr meddyliol yn toddi i suon cariadlon Arglwyddes y Meini.

Yn sydyn, cododd, a'i throi hi am y tŷ. Canys gwyddai'n awr y byddai'r darnau'n siŵr o ddisgyn i'w lle, bob un ohonynt.

* * *

Sylweddolodd aelodau'r côr pam y bu i Huw Foster fod mor haerllug â gwrthod rhoi benthyg ei ysgol ar gyfer rhagbrofion eisteddfodol y Sadwrn olaf hwn. Roedd angen y neuadd ar gyfer ymarfer olaf yr Orffiws yn ei ymdrech i gipio llawryf y Corau Meibion. Ni châi neb arall ddod ar y cyfyl.

Safai, ac edrychai, Caradog Morlais fel delw o farmor gerbron ei gantorion, yn welw a nerfus ei olygiad, a'i lais yn grynedig gan ofn, oherwydd gwyddai yn nwfn ei galon mai prin, a dweud y lleiaf, oedd gobaith y côr o ennill y wobr. Gyda phob rihyrsal, yn ogystal â'r perfformiad trychinebus o flaen drysau'r *Emperor's Sun*, deuai'n amlwg i bawb fod hyder y côr ar drai garw ac nad oedd y côr ar ei orau, neu'n hytrach, na fyddai gorau'r côr yn ddigon da o beth mwdradd.

'Petaem ni ond yn curo'r petha Abardorti 'na, mi faswn i'n fodlon, a deud y gwir,' a'r aelodau'n teimlo i'r byw dros yr un a roddodd yr holl flynyddoedd i hyfforddi criw mor ddiymroddiad ac anniolchgar â nhw.

'Mi rown ni Dorti iddyn nhw! O, rhown!' ebychodd Jabulon yn llawn hyder rhyfeddol. 'Ma' gen i rhyw hen deimlad yn fy mogal y bora 'ma fod petha rhyfadd ar ddigwydd heddiw.'

'Ond mae'n nhw'n deud bod Abardorti'n canu'n dda gynddeiriog . . . ' cwynodd un o'r tenoriaid.

'Pwy sy'n deud?' gofynnodd Jabulon yn bigog.

'Peidiwch â dechra ffraeo ben bora fel hyn, da chi,' erfyniodd Caradog, 'a hitha'n fora'r gystadleuaeth. Rhaid i ni roi pob gewyn ar waith rŵan i drio cael petha i drefn. A gofalwch wrando, a gwrando'n astud. O, na fasan ni'n medru canu mewn tiwn — am unwaith! Llef i gychwyn!'

Trawodd ei stand yn awdurdodol â'i fatwn.

'Pan fyddwch chi'n barod, Awel Môn.'

Canodd y côr â rhyw hyder hollol annodweddiadol, a rhyfeddai Caradog, a'r aelodau eu hunain, at rychwant annisgwyl y deinamics. Roeddent yn llefaru megis â thafodau eraill! Yr agoriad erfynniol, a hunan dosturi'r pechadur pruddglwyfus, wrth iddo lusgo'i ffordd drwy anialwch dyrys bywyd, yn cael mynegiant anarferol o deimladwy. Pregethodd Caradog yr un hen ystrydebau esboniadol iddynt yn gyson dros chwarter canrif, ond dyma'r tro cyntaf erioed iddo deimlo eu bod wedi gwrando a deall. Yna, canu mawreddog yr ail bennill, i alaw yr ail denoriaid, yn canmol yr Eglwys a rydd, trwy ei Harglwydd, bopeth grasol i'r crediniwr. *Subito* sydyn i *bianissimo* agoriad y trydydd pennill, a'r côr yn synhwyro y byddai'r '*glynu tawel*' yn ymchwyddo maes o law yn *grescendo* anorchfygol i'r Amenau syrffedus arferol sy'n cloi trefniannau tonawl pob côr meibion Cymreig. I Garadog Morlais, er holl ddiffuantrwydd ymddangosiadol ei ddehongli emynyddol, yr Amenau fyddai uchafbwynt y canu bob tro, er na chyfansoddodd yr awdur gwreiddiol, Gutyn Arfon, ond un Amen tangnefeddus confensiynol i'w dôn.

Bloeddiodd y meibion eu trebl-fforte Amenaidd, gan frathu'r gytsain olaf un fel petaent fleiddiaid ar eu cythlwng. Safodd Caradog o'u blaenau, eto fel delw, ond y tro hwn roedd ei freichiau yn llonydd yn yr awyr a'i lygaid ynghau.

Roedd mewn perlewyg. Chlywodd o erioed y fath ganu 'rochor hyn i Baradwys. Lledodd gwên angylaidd dros ei wyneb, a llifai'r chwys yn nentydd dros ei aeliau. Pan ddaeth ato'i hun funud neu ddau'n ddiweddarach, gwelodd y cantorion iddynt nid yn unig ei blesio, ond hefyd roi sicrwydd yn ei galon y byddai popeth yn iawn ar y llwyfan mawr yn y pnawn. Yn wir, cymerodd yr arweinydd yr hyfdra i ddatgan ar goedd ei bod hi'n 'amhosibl', ie'n 'gwbwl amhosibl', i unrhyw gôr drechu Côr Meibion yr Orffiws, Creuwyrion, y dwthwn gogoneddus hwnnw.

'Byddai'n fwy o les i ni rŵan, fechgyn, dorri'r rihyrsal yn ei flas, a mynd o'r neuadd 'ma'n llawn hyder. Canwch fel'na ar y llwyfan, ac mi sgubwch chi hi, myn . . . '

'Uffar!' bloeddiodd y cantorion, yn unol eu trebl-fforte a'u brwdfrydedd annodweddiadol.

* * *

Eisteddodd Jabulon wrth lyw ei gar yn iard yr ysgol ac edrychodd ar ei oriawr. Chwarter i un ar ddeg. Roedd ei amseru'n berffaith. Taniodd y peiriant a chwyrnellodd ei ffordd tua'r mynyddoedd, i gyfarfod â'i Frodyr. I'w wynebu llifai trafnidiaeth yr Eisteddfod, llond ceir o wynebau siriol a fyddai, yn ddiweddarach yn y dydd, yn cyd-fawrygu camp Côr Meibion yr Orffiws.

Cyrhaeddodd y Lôn Wen ar ben un ar ddeg, ond nid oedd golwg yn unman o Robert Daniel na Felix Ratt. Parciodd ei gar i wynebu'r Fenai a Môn, a sugnodd awelon y môr a'r olygfa ysblennydd i'w gyfansoddiad. Camodd allan o'i gar a phwyso'n ddiog ar y wal gerrig.

Dyma le rhyfedd i godi cofeb, meddyliodd, wrth syllu ar y garreg osodwyd yno i gofio am Kate Roberts, brenhines rhyddiaith Gymraeg.

Pwy oedd hi, tybed? Tybiodd iddo glywed yr enw o'r blaen.

Rhaid i mi holi Cadifor yn ei chylch. Efallai, rhyw ddydd, pwy a ŵyr, y bydd cofeb i Jabulon Jones yntau, Brenin Rhyddiaith Gymraeg, ar lethrau Foel Grintach, neu ar sgwâr tref Creuwyrion . . .

'Bore da, Jabulon Jones. Mwynhau'r awel sy'n llifo dros Ynys Môn? Rydan ni braidd yn hwyr, ond bu'n rhaid i mi ddelio â rhai achosion yn y llys y bore 'ma. Hwliganiaid y Steddfod, wyddoch chi. Ciwed y tai potas.'

Aeth Robert Daniel i'w fater yn syth.

'Mae popeth wedi ei drefnu'n ofalus dros ben. Mae'r Arolgydd Ratt yn barod, ac mae Awel, Awel Môn, bendith arni, wedi cytuno i'n cynorthwyo. Gobeithio y medr hi ganfod gwaedd fydd yn atseinio drwy'r cread.'

Yn gwichian ac yn ochain a tergo *ar gongol dy ddesg y clywist ti hi amla', yr hwrgi budur*, meddyliodd Jabulon.

'Fel corn niwl Enlli,' ategodd Felix Ratt, 'ac fe gewch chi weld bod ein cynlluniau mor saff â swydd esgob. Nid ar chwarae bach y rhwystrir, ac y difethir, gariad Brodyr at ei gilydd.'

Na chariad Brawd at y sawl sydd mor hylaw â'i hofferyn, chwaith, ychwanegodd Jabulon rhyngddo ef ei hun a chofeb Kate Roberts a gwastadeddau gwahoddgar Môn dirion a'i hawelon.

* * *

Fu rioed cystal hwyliau ar Jabulon Jones, a mwynhai pob eiliad o'r llongyfarchion diddiwedd a hyrddid ato gan ei edmygwyr. Er mwyn i bawb ei adnabod a'i gydnabod, cymerodd yr hyfdra doeth i wisgo'i Fedal gydol y Sadwrn hwnnw. Nid oedd â'r bwriad lleiaf i'w thynnu, hyd yn oed pan fyddai, yn ystod y pnawn, yn canu'n y côr ar y llwyfan. Roedd am fwynhau y diwrnod i'w eithaf. Byddai'n *Ddiwrnod i'r Brenin*, yng ngwir ystyr y gair.

Bendithiwyd Eisteddfod Creuwyrion â thywydd ardderchog. Tywynnai'r haul yn gyson danbaid, a rhoddodd hynny rhyw sirioldeb anarferol i bobl hynaws y fro. Heidiasant i'r ŵyl yn eu miloedd, a gwenai'r trefnwyr rhadlon wrth weld y coffrau'n chwyddo.

Teimlai Jabulon mai ei steddfod o oedd y steddfod hon, *Steddfod Llenor y Chwyldro*, fel y galwai ef, ac ef yn unig, hi. Ni chafwyd pen i osod y Goron arno, a rhyw awdl ddigon ffadin gipiodd y Gadair. Ond fe gafwyd Cyfrol Ryddiaith fyddai'n barhaol ei hapêl, a fo, Jabulon Jones, oedd piau'r clasur tragwyddol hwnnw.

Am hanner dydd safai y Prif Lenor yn urddasol ynghanol byrddau plastig simsan y Babell Fwyd anferth, gan fwrw trem hwnt ac yma wrth chwilio, am edmygwyr yn bennaf, ac am fwrdd gwag. Yn ciwio drosto gerllaw safai Dawn Angel, yn aros yn amyneddgar ac awchus am sglodion tatws drud iddi hi a'i phriod athrylithgar. Roedd y lle yn ferw o brysurdeb a llawenydd.

Aeth ias oer trwy holl esgyrn Jabulon Jones. Draw yng nghiw y Stondin Grempog, fel un o feini dynol Carnac, ei wallt coch a'i locsyn llaes, fel yn y dyddiau a fu, yn gagla' anghynnes, safai Goff y Llydäwr, yn hylldremio'n guchiog ar gynulleidfa swnllyd y byrddau a'r stondinau. Heb oedi, trodd Jabulon ei gefn ato, a gwau ei ffordd, yn ymddangosiadol ddidaro, i ben arall y Babell Fwyd. Pan ar ganol diofal gam, safodd yn ei unfan, am yr eildro'r dwthwn hwnnw, fel colofn halen Sodom. Daeth rhyferthwy o enau'r Llydäwr trahaus.

'Llef y cyfiawn! Dialedd y gorthrymedig! Dymchweliad y beilchion! Marwolaeth y twyllwr.'

Trodd pob llygaid at y Stondin Grempog, ond erbyn hynny roedd perchen y waedd wedi hen ddiflannu i gynllunio'i ymdrech olaf.

26

Un o ferched hunan-ymwthgar a theulu-ymwthgar byd y teledu lywiai weithgareddau'r prynhawn ar lwyfan Prifwyl Creuwyrion. Fe'i câi hi'n anodd braidd i reoli'r gynulleidfa aflonydd oedd yn mynd a dod drwy ddrysau'r Pafiliwn. Doedd hi erioed wedi arwain unrhyw fath o eisteddfod o'r blaen, ond roedd yn ddigon powld a hunan-dybus i anghytuno'n gyhoeddus â'r honiad wnaed gan un 'Colofn Gas' y dylai pobl fel hi fwrw'u prentisiaeth ar lwyfannau llai y mân eisteddfodau a frithai gefn gwlad Cymru. Cytuno neu beidio, yma yr oedd hi, yn llond ei chroen nepotistaidd, a'i llediaith fratiog nodweddiadol, a'i chystrawennau estron, a'i phriod-ddulliau Seisnig, a'i chenedl-enwau chwilfriw, wedi hen fynd dan groen Cymry-go-iawn y Pafiliwn a'r radio.

'Wnewch chi cymryd eich seti cyn i'r golaù fynd allan,' llefodd mewn anobaith, 'fel y cawn ni joio y cystadleuthu sy'n dilynnu. Dyna rydym ni i gyd am. So, rydw i dros y lleuad yn cael arweinio heddiw a dyma fi yn cyflwyno i chwi y beirniades, yn barod yn ei lle, yn eistedd ger ei fwrdd. So, cyfeillion annwyl, a wnewch chwi, os gwelwch yn dda, rhoi eich dwylo gyda'u gilydd a croeso i Ebrill Delyth Medi Haf.'

Ni chafodd y ferch ifanc honno fawr o gymeradwyaeth, gan nad oedd yn ddigon adnabyddus i haeddu cymeradwyaeth addolwyr S4C. Cerdd dant ac adrodd oedd ei meysydd arbenigol hi, nid actio trydydd dosbarth trychinebus, ond tra phroffidiol *Pobol y Cwm*. Ni fu hon erioed ar y teledu, na chwaith yn un o ymgyrchwyr cyhoeddus yr iaith. Un o rinweddau mawrion cenedl y Cymry, wrth gwrs, yw mawrhau perchnogion twp wynebau cyfarwydd y teledu, pobl sydd â gwely-neidio ac wythnos yng ngharchar dros yr iaith yn hawlio llythrennau breision ar eu C.V. Anwybyddodd Ebrill y croeso crintach, ac eisteddodd wrth ei bwrdd, a'i phapurau o'i blaen.

'Cystadleuaeth pwysig y partïau cyd-ad . . y Corau Llefaru sydd nesaf ar y raglen. Y darn odidog yw darn y bardd o Ffestiniog . . . ac mae merched Aberdorti yn hoffi'r darn yn fawr, yn fawr fawr iawn iawn, ac yn barod i afael yn y darn o ddifri . . . '

Aflonyddai'r gynulleidfa fwyfwy, ac roedd yn amlwg fod aelodau'r Côr Adrodd cyntaf, oedd eisoes yn sefyll yn ddisgwylgar ar y llwyfan, wedi cael hen lond bol ar ddiffygion nodweddiadol deledaidd Merch benwag y Cyfryngau, ac yn ysu am gael bwrw iddi â'u perfformiad.

Fodd bynnag, aeth Merch y Cyfryngau rhagddi'n bowld a hunan hyderus i geisio esbonio dirgelion a rhagoriaethau'r gerdd, gan nodi, ymysg perlau eraill, y byddai Mair Magdalen, gwrthrych y gerdd, 'yn gwirioni â'r darn, ac rwy'n siŵr bod y bardd wedi ei awduro gyda côr llefaru, fel y côr merchetaidd welir ar y llwyfan yn awr, mewn meddwl. So, digon ddywedwyd am. Bydd hwn yn cystadleuaeth da, methu neu ennill. Y peth pwysig yw mwynhau a cystadlaethu, nid ennill y prisiau. Daeth pump ar ddeg o corau i rhagbrawf, a dewisodd y barnwr tri ohonynt i ddangos eich bronnau yn awr. So, ymlaen â ni, felly, i gwrando ar y gyntaf o'r dri côr, yn cyflwyno'u deho . . dehon . . . g . . g . . dymuniad hwy am y darn *'O!'r Fawr yn Fwy'* . . . sorri . . . *'O Farw'n Fyw'*. So, gwnewch chi ymestyn croeso cynnes i Côr Cyd-Llefaru Sefydliad y Merched Aberdorti.'

Rhoddwyd bonllef o groeso i'r cyntaf o'r tri chôr, a phawb yn falch o weld pengliniau noethion a phenglog gwag Merch y Cyfryngau yn diflannu tu ôl i'r llenni. Nid cariad at gyd-adrodd roddodd fod i'r croeso, ond y ffaith fod pedwar llond bws o drigolion Aberdorti wedi dod i gefnogi merched y fro yn eu hymddangosiad cyntaf erioed ar lwyfan y Brifwyl. Mae'r *Women's Institute* mewn rhai ardaloedd, fel y gwyddom, yn arbenigo ar ffugio Cymreigrwydd pan ddaw'r Genedlaethol i'r fro, fel ar ddydd Gŵyl Dewi Sant.

Erbyn hyn, roedd Jabulon a Dawn Angel yn y Pafiliwn, y canwr mawr wedi dod yno'n un swydd gwaith i brofi'r awyrgylch, ac i ddileu unrhyw ddrygflas a fynnai lynu, fel asiffeta'i blentyndod, yn nhaflod ei enau o'r dydd Mercher blaenorol. Daeth i mewn fel petai'r Pafiliwn yn eiddo iddo, gan arddangos ei Docyn Cystadleuydd, a'i Fedal, i'r porthor diniwed.

Hebryngodd ei briod i lawr llwybr y Pafiliwn, ac eisteddodd yn y seddau drutaf, yn agos i flaen y llwyfan. Yn ôl Jac Puw, roedd hwn yn hen dwyll eisteddfodol cydnabyddedig ymysg ffyddloniaid dosbarth canol y maes carafannau — '*Tocyn Maes a Seddau Blaen*' — caredigion mwyaf yr Eisteddfod, a barnu oddi wrth ymffrost rhai ohonynt, ac arbenigwyr ar fynd i mewn i'r Maes am ddim.

Er ei fod yn awr yn llenor cydnabyddedig, cyfyng — a dweud y lleiaf — oedd ei wybodaeth, a'i ddirnadaeth, o lenyddiaeth ei wlad. *Sionyn, Nant y Mynydd, Tomi, Y Border Bach, Anfon y Nico* ac ambell emyn. Cymerodd arno ei fwynhau ei hun.

Buan y teimlodd, fodd bynnag, bod rhyw isleisiau proffwydol yn cyniwair yng ngeiriau'r bardd hwn, isleisiau a bygythiadau fyddai'n fuan yn rhan o'i brofiad yntau.

'Neb,
Does yna neb,
Neb, neb all osgoi
Y troi hwnnw i wynebu'r tywyllwch . . . '

Ymrithiodd wyneb blewgoch ffyrnig y Llydäwr rhyngddo â'r llwyfan, a chlywodd süon sarffaidd trigolion y Farclodiad yn hisian trwy ei ymennydd.

'Y troi hwnnw i'r tywyllwch
Sydd dros riniog y drws diwethaf,
Tywyllwch anorchfygol
Y mynediad terfynol.'

Cododd, a gwthiodd ei ffordd yn haerllug heibio stiwardiaid y drysau, gan gerdded yn bryderus i'r Ystafell Ymgynnull, lle'r oedd Côr Meibion yr Orffiws yn aros yn nerfus-ddisgwylgar am awr ei fuddugoliaeth.

27

Daeth y gystadleuaeth cyd-adrodd i ben, a chyrhaeddodd awr fawr meibion yr Orffiws. Tynnwyd byrra'i docyn, a Chreuwyrion i ganu'n olaf o bum côr, ac Aberdorti, y gelyn marwol, i ganu'n ail. Doedd dim golwg o Garadog yn unman.

'Wedi mynd i wrando ar y ddau gôr cynta mae o. Mi fydd gynnon ni syniad wedyn be fydd y safon.'

Nid bod hynny'n gwneud eu hachos ronyn cryfach, wrth gwrs. Y gwir amdani oedd mai wedi mynd i wrando ar Gôr Aberdorti roedd Caradog, er mwyn cael y *tempo* cywir i glasur Halfdan Kjerulf, ond na feiddiai gydnabod hynny gerbron ei gantorion ei hun. Gwrandawodd yn feirniadol bwysig ar y côr cyntaf, rhyw gôr o gymoedd y de, siapiau cegau'r cantorion yn bradychu eu diffyg gwybodaeth o'r Gymraeg. Yn ddistaw bach, diolchai Caradog am reol Gymraeg yr Eisteddfod. Roedd hi'n gymaint â hynny'n fwy anodd i'r petha Sowth 'na gystadlu.

'Canu diddrwg-didda, a'r uffernols wedi dwyn un o'n darna' ni,' grwgnachodd dan ei wynt ar nodyn olaf Myfanwy. Mynegodd ei ddyfarniad yn groyw a phendant. 'Dim byd i boeni o'i blegid yn fan'na.'

Cafwyd safon wahanol, ac uwch, i ganu Côr Meibion Aberdorti, a doedd Myfanwy na Llef ddim yn rhan o'i raglen. Sylwodd Caradog yn fanwl ar *dempo'r Iubilate*, ond trwy weddill y cyflwyniad, bu'n brysur yn ceisio hoelio'r *tempo* newydd, cyflymach, i'w gof oedrannus.

'Mae hi gynnon ni, hogia, ydi'n wir!' gorfoleddodd Caradog ar ei ddychweliad i'r Ystafell Ymgynnull. 'Dim byd i'w guro, coblyn o ddim byd! Ni fydd pia' hi heddiw, gewch chi weld!'

Ar hyn, rhuthrodd Jac Puw at y cwmni, a'i wynt yn ei ddwrn. 'Rydw i newydd fod yng nghefn y llwyfan rŵan hefo Awel Môn, yn gweld lle y cawn ni osod y piano. A wyddoch chi be, Caradog?

Ma' Côr Bro Llywelyn ar y llwyfan, rŵan hyn, y ddau aelod a deugain yn barod i daro'r *Iubilate* unrhyw funud.'

'Rydw i wedi clwad dau gôr esys,' atebodd Caradog yn sychlyd. Doedd ganddo fawr o feddwl o Jac Puw.

'Nefoedd yr adar! Trïwch ddallt, ddyn! Mae 'na ddau a deugain —*fforti tŵ*— yn canu mewn cystadleuaeth sy'n gwahardd mwy na deugain i ganu mewn unrhyw gôr! Rhaid rhoi protest i mewn ar unwaith.'

'Ond ma' protest yn costio pum punt ar hugain,' cwynodd Harri Han'bag, gan gofio nad oedd y pwrs drymed ag y dylai fod.

'Dydi o uffar o ots am hynny. Be 'di pum punt ar hugain os gallwn ni gael Côr Bro Llywelyn o'r gystadleuaeth? Piso dryw yn y môr, Harri Huws. Piso dryw.'

Edrychodd yr ysgolfeistr yn awgrymog ar Harri, a thynnodd hwnnw'i waled o'i logell.

'Arhoswch iddyn nhw ddechra canu. Mi fydd hi'n *Amen* go iawn arnyn nhw wedyn,' meddai'r arweinydd goleuedig, gan wenu'n fuddugoliaethus. 'Mi ddeudais i, on'd do? Ma' ffawd hefo ni heddiw, hogia. Gewch chi weld, gewch chi weld.'

Erbyn i Jac Puw gyrraedd Swyddfa'r Trefnydd, a thalu'r pum punt ar hugain o dâl protest, roedd Côr Bro Llywelyn yn canu Amen olaf ei gân gyntaf, lai na hanner ffordd trwy ei gyflwyniad.

'Un o benna rhinwedda arweinydd corawl ydi ei fod o'n medru cyfri,' oedd sylw olaf cellweirus Caradog Morlais ar y digwyddiad.

* * *

Côr meibion o Fôn ganai'n bedwerydd, côr o leisiau cyfoethog, unol a disgybledig, ei donyddiaeth yn gwbl gadarn, a'i gydbwysedd lleisiol yn rhinwedd amlwg.

Doedd gan Caradog a'i fyddin na'r amser na'r awydd i wrando arnynt o'u disgwylfa yng nghefn y llwyfan. Ymffurfiasant yn neidr hir aflonydd, yn barod i ymlusgo i'r llwyfan, yn barod i saethu eu hamenau colynnog at feirniaid a chynulleidfa. Safai eu harweinydd o'r neilltu, yn tynnu'n ffyrnig ar draean ola'i sigarét, yn sadio'i nerfau cyn y foment fawr. Doedd o ddim am i neb ei glywed yn ymarfer, yn ddistaw bach, *dempo* newydd ei *Iubilate*.

Gwyddai Jabulon fod Felix Ratt wedi trefnu bod plismyn ym mhob rhan o'r Pafiliwn, ac y byddid yn hebrwng y Llydäwr barfog o'r adeilad yn syth, pe'i gwelid yno. Ni fyddai ond un mynediad iddo i gyflawni ei erchyllwaith — trwy'r Ystafell Ymgynnull ac i gefn y llwyfan. Ni wyddai'r Llydäwr mai amryfusedd tactegol, hollol fwriadol, Ratt oedd hwn, amryfusedd a'i dygai i afael diollwng ffured oedd â maneg wen am ei bawen.

★ ★ ★

Yn y cyfamser, roedd Goff y Llydäwr, yn ei fawr ddoethineb, wedi penderfynu na fentrai i'r Pafiliwn, ac mai cefn y llwyfan fyddai'r lle gorau i neidio oddi arno, a llarpio'i ysglyfaeth. Berwai ei waed. Toc, câi'r Orsedd a'r genedl gyfan wybod y gwir am Jabulon Jones, ac am y llên-ladrad mwyaf haerllug a welodd Gwlad y Delyn erioed. Ei arwydd fyddai traw hudolus Awel Môn.

★ ★ ★

'Dangoswch iddyn nhw, hogia! Dangoswch i'r hen betha Abardorti 'na, a'r hen betha Sowth 'na hefyd, sut ma'i hamenio hi!!'

Gydag anogaeth herfeiddiol Caradog Morlais yn cosi eu chwarennau adrenal rhyw fymryn bach, ymlusgodd hynafgwyr yr Orffiws yn ddwy reng grynedig i'r llwyfan.

Cyn bo hir daeth eu harweinydd hirwallt urddasol i'r golwg yn ei grysbais liain wen a'i dei-bô du. Daliai i fwmial rhan gynta'r *Iubilate*, gan gadw *tempo* Aberdorti yn ddiogel yn ei gof. Safodd ar ei rostrwm, a rhoddodd ei gopïau ar ei stand. Trodd i wynebu'r gynulleidfa, a chrychodd ei aeliau i geisio canfod y beirniaid yn nhywyllwch arswydus y Pafiliwn mawr. Trawodd ei lygaid arnynt, a chafodd nòd o gadarnhad eu bod yn barod i wrando.

Trodd at ei gôr, a'i gorpws oedrannus yn chwŷs drewllyd drosto. Hymiodd ei *dempo* am y tro olaf cyn canu ei *Iubilate, Amen*, a'i ganu i gipio'r cwpan. Estynnodd ei fys i gyfeiriad y piano, i dderbyn y traw ar gyfer y canu digyfeiliant. Distawrwydd. *Tacet.*

Taflodd gipolwg ceryddgar at Awel Môn. Bu ond y dim iddo â llewygu. Doedd Awel Môn ddim yno!

Yr eiliad nesaf, rhwygwyd distawrwydd disgwylgar y Pafiliwn gan sgrech annaearol. Aeth y llwyfan yn gyffro byw. Rhuthrodd Ratt fel dyn gwyllt o'i reng yn y côr, a'i gwneud hi am gefn y llwyfan. Dilynwyd ef gan Jabulon, a Foster, a Harri Han'bag, a bu'n rhaid i Garadog Morlais druan fynd i eistedd ar stôl y piano i adfer ei nerth a'i hunanfeddiant.

Y tu ôl i'r llwyfan, roedd yn bandemoniwm gwyllt, a Goff y Llydäwr yn gwingo yng nghrafangau Ratt a dau blismon.

Actiai Awel Môn ei rhan yn gelfydd. Daliai i sgrechian, a chymerai arni ei bod ar fin llewygu. Yn ei llaw chwith gafaelai'n dynn mewn bronglwm wedi ei rwygo, a chwifiai'r cyfryw ddilledyn i bob cyfeiriad. Aeth Robert Daniel ati, a gafael amdani, gyda thynerwch tadol, a'i rhoi i eistedd mewn cadair. Daeth ati ei hun yn rhyfeddol o fuan.

'Y mochyn budur! Y Joni Nionod drewllyd! Y sglyfath hyll!' bloeddiai Ratt ar ucha'i lais, a'i drwyn ond modfedd o drwyn mawr y Llydäwr.

'Trais, cŵd, trais. Mi gei di ddeng mlynadd am hyn, cei, myn diawl!'

Llonyddodd y gwingo, a syrthiodd gwep Gonideg ar Goffig mewn syndod, ac anghrediniaeth. Nid twpsyn mohono. Gwyddai fod ei gynllun yn deilchion, a chynllwyn ei elynion yn orchfygol. Roedd fel gŵr ar ddarfod amdano.

Fe'i hebryngwyd ymaith, a'i roi i eistedd rhwng dau blismon ar sedd ôl car heddlu. Aed ag ef i Reinws Creuwyrion, ac yno, fe'i taflwyd yn un swpyn diymadferth i gell, i ddisgwyl canlyniad anorfod ac anochel erchyllwaith yr oedd yn gwbl ddieuog o'i gyflawni.

* * *

Gohiriwyd cystadleuaeth y Corau Meibion am hanner awr, er galluogi pawb i adfer eu nerth, ac adfeddiannu'u synhwyrau. Yn halibalŵ '*treisio*' Awel Môn, aeth *tempo* Aberdorti'n llwyr o afael Caradog Morlais druan. Ni chafwyd mohono yn yr *Iubilate*, ond fe gafwyd *tempos* newydd, do — rhai oedd yn llawer arafach nag erioed o'r blaen, gyda'r cantorion oedrannus druain yn ymladd am eu hanadl wrth geisio cynnal y brawddegau a'r donyddiaeth. Aeth y cwbl ar chwâl. Roedd diciâu ar Fyfanwy, a rhoddodd yr hen Utyn Arfon dri thro yn ei fedd wrth i nodau ucha'r Amenau ymffurfio'n sgrechfeydd ellyllaidd.

Cafwyd beirniadaeth. Aeth y cwpan i Fôn, a'r ail wobr i

Aberdorti. Nid gwir, bob amser, ysywaeth, yr adnod a broffwyda mai'r rhai olaf a fyddant flaenaf.

28

Yn hwyr y noswaith honno, eisteddai Jabulon a Dawn Angel yn unigrwydd hyfryd cegin Bwlch Mawr. Taenai'r nos ei chysgodion pruddaidd ar lethrau Foel Grintach, a suai awelon hwyrddydd o haf drwy gilfachau cramennog Barclodiad y Gawres.

'Dowch i mewn, Robat Danial, dowch i mewn.'

Tynnodd y Cyfreithiwr ei het, a'i rhoi ar y bwrdd.

'Mae Ratt newydd roi caniad i mi, ac mae popeth yn iawn. Fe weithiodd ein cynllun i'r dim, a bellach mae'r cochyn dieflig 'na ar ei ffordd adra i Lydaw. Welodd Ratt rioed neb wedi dychryn cymaint. Naddo, wir. Ro'dd wynebu cyhuddiad o '*attempted rape*' yn ormod i'r creadur, a Ratt yn pwyso arno fod cryn hanner dwsin o dystion i'w weithred ysgeler.'

Ychwanegodd, 'Ac Awel Môn, wrth gwrs!'

Siriolodd wyneb Robert Daniel wrth iddo grybwyll enw yr un a fu'n fodd i ddwyn yr holl helbul i ben.

'Ond beth am Jac Puw? Mi fydd 'na hen edrach dan garpedi'r loj ar ôl y fath drybestod. Ma' Harri Hughes yn crynu'n 'i sgidia.'

'Rydan ni wedi 'morol am hynny hefyd. Dau gant o bunna' yn rhodd ddi-enw gan edmygwr o Lydaw. Mi fydd Harri'n cofio'n gyfleus un o'r dyddia nesa 'ma ei fod o wedi cadw arian *Action Aid* — dau can punt — yn '*rhy ddiogal*' mewn tun *Oxo* ar ben y dresal, ac mi fydd na gofnod bach i'r perwyl yn llyfra cownt y côr, ac yn y fantolan ddiwadd y flwyddyn.'

Cododd Robert Daniel o'i gadair.

'Rhaid i mi ei hel hi rŵan. Dwi am alw hefo Awel ar fy ffordd adra, i gael gweld os oes angan rhywbath arni.'

Cerddodd at y drws, ac yna, cofiodd yn sydyn fod ganddo neges arall, neges bwysig, i ŵr Bwlch Mawr.

'Bu bron i mi anghofio. Yng nghwarfod nesa Bwrdd yr Orsedd, bydd enw Mr Jabulon Jones Ll.B., Prif Lenor Prifwyl Creuwyrion, gerbron, fel un cymwys i'w dderbyn yn aelod anrhydeddus o Orsedd Beirdd Ynys Prydain. Fe all hyn esgor ar betha mawrion yn dy hanes, Jab, gall yn wir.'

Gwenodd Jabulon ar Dawn Angel, ac yna ar Robert Daniel. Ac am y filfed waith, syllodd gyda balchter ar y Fedal ysblennydd a hongiai am ei wddf, a diolchodd, yn nwfn ei galon, fod Gwalia annwyl o hyd, bendith arni, yn wlad a lifeiriai o laeth a mêl, a'i bod, uwchlaw popeth, yn Wlad y Menig Gwynion.